海外漢文古醫籍精選叢書・第二輯

2011—2020年國家古籍整理出版規劃項目
中國中醫科學院「十三五」第一批重點領域科研項目
——我國與「一帶一路」九國醫藥交流史研究（ZZ10-011-1）

蕭永芝◎主編

新鐫海上懶翁醫宗心領全帙　陸

（越）黎有卓　撰

北京科学技术出版社

圖書在版編目（CIP）數據

海外漢文古醫籍精選叢書·第二輯·新鐫海上懶翁醫宗心領全帙　陸/蕭永芝主編. —北京：北京科學技術出版社，2018.1
ISBN 978－7－5304－9227－7

Ⅰ. ①海…　Ⅱ. ①蕭…　Ⅲ. ①中醫典籍—越南　Ⅳ. ①R2-5

中國版本圖書館CIP數據核字（2017）第208359號

海外漢文古醫籍精選叢書·第二輯·新鐫海上懶翁醫宗心領全帙　陸

主　　編：蕭永芝
責任編輯：張　潔　周　珊
責任印製：李　茗
出 版 人：曾慶宇
出版發行：北京科學技術出版社
社　　址：北京西直門南大街16號
郵政編碼：100035
電話傳真：0086-10-66135495（總編室）
0086-10-66113227（發行部）　0086-10-66161952（發行部傳真）
電子信箱：bjkj@bjkjpress.com
網　　址：www.bkydw.cn
經　　銷：新華書店
印　　刷：虎彩印藝股份有限公司
開　　本：787mm×1092mm　1/16
字　　數：505千字
印　　張：43.25
版　　次：2018年1月第1版
印　　次：2018年1月第1次印刷
ISBN 978－7－5304－9227－7/R·2388

定　　價：**980.00元**

海外漢文古醫籍精選叢書・第二輯

新鐫海上懶翁醫宗心領全帙　陸

（越）黎有卓　撰

R.1144

新鐫海上醫宗心領全帙卷之三十

本卷次目

驚風（無驚風異論）　急驚風（附癇陽癇）　慢驚風（附暑尾）

慢脾風（附驚癎吐瀉論）　馬脾風　發搐

魃病　骨蒸　瘻黃

汗多　溺白　初生小便不通

初生大便不通　初生二便不通　初生腹脹

重舌　弄舌　榴舌　重齦重腭

板留在武江縣大壯社同人寺

幼幼須知木卷

海上懶翁黎氏纂輯
後學唐鄶武春軒奉較

驚風

審機

夫小皃驚風三症總不外乎肝家之爲病也然亦有脾家腎家心家肺家之見症也經曰凡諸躁狂越者皆屬心火諸風掉眩者皆屬肝木風非火則不能動火非風則不能發風火

相摶其候必成驚風盖風火既盛則肺金受傷腎水失其母
而火無所畏也且肝木已無所制而脾土又受傷况以小兒
之真陰不足（乃天癸之真陰非有形之陰血）柔不能濟剛故肝邪易動肝邪
動則木能生火火能生風風熱相摶則血虛血虛則筋急筋
急則爲掉眩反張搐搦彊直與不時吊眼之類或面目皆青
眼睛竄視故謂之八候

別症

一風火交爭乃因痰生於脾風生於肝驚出於心熱出於肺

謂之四症（驚風 痰熱）皆肝木之本病也至於相移木邪侮土則脾
病而爲面色淡黃爲痰爲吐爲瀉爲不食虛汗多睡爲氣喘
喫水木盛金衰則肺病而爲面色淡白喘促氣短木火上炎
則心病而爲驚叫爲煩熱面紅頰赤惕惕夜啼木火傷陰則
腎病而爲水涸爲血燥爲乾渴爲汗不出面黑惡叫嚙乳咬
牙夢中咬牙爲搐爲痓此五臟驚風之大槩也然非止此而
不入他經如夜啼至曉者驚入小腸喉中如鋸者驚入大腸
面青下白者驚入于胆氣喘喫水不時乾嘔者驚入于胃夢

中驚哭者患在三焦若爪黑爲肝絕便黑爲心（血）絕遶口青黑爲脾絕忽作鴨聲爲肺絕眼半開半合爲腎絕咬人者爲胃絕目睃盜汗乃衛絕男左搐視左眼上竄女右搐視右胞下竄男握拳大指出外女握拳大指入裡五指交如姜把者死男引手挽左直右曲女引手挽右直左曲凡此皆順反之則逆亦有先搐左而後雙搐者但搐順則無聲其指紋形勢彎弓入裡者順出外者逆出入相半者難痊

一云小兒元氣未足神魂未定或見生人異物或聞厲声響驚

驚入心之胞絡火炎空舍而聚痰痰生熱熱生風心肝脾病也又有心内積熱而驚惕肝内生風而發搐痰涎壅盛風熱併作所以暴烈緊急心肝病也盖心主熱脾主痰肝主風相因而發謂之驚風痰熱可也謂之驚熱風痰亦可也

治法

大抵治驚風之法風火與痰陽虚陰虚能察此緩急則盡之矣所謂風者以其彊直掉眩皆屬肝木風木同氣故云驚風而寔非外感之症令人不知其旻但為治風而用散不知外

來之風可散而血燥之風不可散也故風藥如荆防羗獨辛
葛柴蘇之類使果有外邪發熱無汗等症乃可暫用如無外
邪則最所當忌
所謂痰火者痰凝則氣閉火盛則陰虧此寔邪之病本也若
痰因火動則治火爲先火以痰留則去痰爲主火之甚者則
龍胆山梔連栢石羔大黄之類火之微者則苓知玄參石斛
地骨天麻木通之類痰之甚者宜牛黄胆星半夏白芥之類
痰之微者陳皮前胡貝母天花粉之類

凡驚風之寔邪惟痰火爲最而風則次之治寔之法只此足矣然寔邪易制主斂必危蓋陽虛則陰邪不散而元氣不復陰虛則營氣不行而精血何來故治虛者陽虛宜燥宜剛陰虛宜温宜潤善用陽者氣中自有水善用陰者水中自有氣設有謂此非驚風之藥此非小兒之藥者豈驚風之病不屬陰陽而小兒之體不由氣血乎

處方

治搐先於截風治風先於利驚治驚先於豁痰治痰先於解熱

若四症俱有亦當兼施並理一或有遺必生他症如驚熱者硃砂安神丸二百八龍腦安神丸六百十熱甚者凉驚丸三百四虛者溫驚丸三百三痰盛者神砂化痰丸六百十一抱龍丸二百十五痰熱者滾痰丸五百五驚痰熱全者天麻防風丸六百二古礞石丸見嬰驚門小兒驚風及泄瀉並宜用五苓散九二以瀉丙火滲土濕蓋內有肉桂能抑肝木而扶脾土也

又有驚積者受驚日久而積成之也其症額汗喘息煩渴潮熱往來肚熱睡中覺腹中有物跳動瀉下如白脂神砂是也

治法量與神砂膏百八四疎導仍與調氣和胃而愈
又有搐搦反張斜視而牙關不緊口無痰涎者多是外感風
寒內傷飲食夾驚而成謂之假搐非真搐內生驚癎也如內
傷飲食壅熱或因食後遇驚謂之傷食夾驚身熱溫壯或吐
不思食大便酸臭先用人參羌活散九八加青皮紫蘇解表消
積次用瀉青丸九三加神砂蝎梢祛風鎮驚如食癖挾驚熱者
寬熱飲百十五痰積者白玉餅九四驚食兩重者四肢搐搦痰壅
盛者先與利驚丸百八三消導次服啓脾散九五以調脾外感因

驚虛風邪氣流八心肝二經或內有積熱外有感風俱謂之
傷風夾驚神困骨慣頭疼口中氣粗而熱先用惺惺散九六參
蘇飲九七人參姜活散九八或大青膏九九選用以微表次與天麻
防風凡百六二通用導赤散百五九五福化毒丹百一瀉青凡三九腎氣凡一百
驚風痰熱四症輕者四肢搐搦而已重者八候俱見故凡髮
際印堂青筋三關虎口紋紅紫者皆爲驚風之候宜預防之
與驚風對症用藥已效若未覺甚蘇者可再服來復凡二百一
二凡薄荷泡湯化下得利卽瘥可

小兒中風後瘖不能言者用木香陳皮甘草煎湯呑肥兒凡見舜門內有黃連能去心竅惡血也

有肺風喘促涎潮竄視者用阿膠紫蘇烏梅人參煎服蓋阿膠能育神驚風後眼中瞳子不正者最宜

抱龍凡 抱者保也龍者肝也肝應東方青龍木木生火謂生我者父母也肝爲母心爲子母安則子安蓋心藏神肝藏魂神魂既定驚何從生故日抱龍取此義也

琥珀　人參　天竺黃　檀香

茯苓各一兩半　炙草去節三兩　枳殼　枳寔各一兩

神砂五兩　山藥一斤　胆星一兩　金箔百片

右爲末取新汲水和凡如圓眼大陰乾用葱白或薄荷湯下如壅痰嗽甚者生姜湯下心悸不安燈心湯加珍珠末調下

霹靂散

牙皂　細辛　川芎　白芷

躑躅花

爲末用燈心蘸點鼻内得噴嚏爲驗藥忌火焙

青州白丸子治風痰湧盛嘔吐涎沫口眼喎斜手足癱瘓小兒驚風及痰盛泄瀉此治風痰之上藥然熱痰迷竅非其所宜

白附生用　南星生用各二兩　半夏水浸生衣生用七兩　川烏去皮臍生用五兩

爲末絹袋盛之水擺出粉以盡爲度貯磁盆日曬夜露春五夏三秋七冬十日晒乾糯米糊丸菉荳大每二十丸姜湯下癱瘓酒下驚風薄荷湯下三五丸

消驚丸治小兒驚風鎮心利痰解熱

人參　天麻　茯苓　硃砂

全蝎去毒炒　殭蠶炒　羚羊角　犀角各一

麝香一分　胆星四ク

為細末蜜凡芡寔大菖蒲煎研化食後服

至聖寧心冊　治嬰児安神退驚止啼寧眠

人參　防風　天麻　蝎梢

龍腦煅　茯神　炙草　棗仁各一ク

硃砂水飛五分　麝香一字

為極細末米飯擣凡如芡寔大用麥門煎湯研化食遠服

抱龍麝香丸 治痰嗽驚風時作潮熱　胆星一兩　天竺黄五錢　神砂　雄黄各一錢半
麝香一錢另研　為末濃煎甘草水麵糊丸芡實大薄荷湯下一丸

安神散 治搐搦　全蝎四个糯水浸一宿　南星大者一个開一穴入蝎在内
以南星末蓋其口用麵裹煨令赤色取出放地上坑一宿去
南星用蝎為末每服一字磨刀水調下

王藍京墨丸 治痰熱驚積　青黛　史君子煨熟　蘆薈　川墨　胆星
各二錢　膩粉　麝香五分　龍腦一字　為末麵糊丸桐子大每服一丸薄
荷湯磨下楚卅王藍此藥著名大利痰熱驚積癖積

保命丸安神定魄止啼鎮驚 犀角 琥珀 炙草 人參各二ㄗ 天麻煨

茯神各三ㄗ 全蝎製十二个 殭蠶 硃砂 防風各一ㄗ 麝香一字

為末白米飯搗丸麥冬湯下

安神丹治小兒心神不寧困卧多驚痰涎壅盛 硃砂一ㄗ 遠志去心 人參各二ㄗ半 乳香五ㄗ各另研

酸棗去殼一兩 為末蜜丸梧子大每服一丸金箔為衣參湯化下

定志丸治驚退後神未定 琥珀 茯神 遠志姜製 人參 白附炮 天麻

煨 天冬 棗仁 炙草各一ㄗ 為末蜜丸神砂為衣薄荷燈心湯下

一方加珍珠金箔麝香 驚風要藥

清風熱柴胡黃芩葛根防風桔梗荊芥甘草連翹天花粉梔子竜胆草犀角羚羊角黃連淡竹葉燈心活石芦薈

散風寒防風羌活紫蘇前胡桂枝麻黃細辛生姜　消食去滯山查枳寔枳壳木香陳皮腹皮大黃朴硝

鎮驚安神天麻茯神遠志棗仁鈎藤菖蒲丹参麥冬当歸芍藥硃砂珍珠燈花竜腦金箔竜齒射香楂香安息香蘇合香乳香琥珀代赭石

豁痰利氣橘紅白附白芥蘇子萊菔子殭蚕胆星半夏天麻貝母欝金姜黃杏仁前胡天竹黃雄黃牛黃珍珠輕粉礞石巴霜蜈蚣

溫補脾胃肉桂紫河車白术炮姜煨姜丁香陳米炙草藿香茯苓黃芪人参附子肉菓山藥蓮肉木香砂仁扁豆

此外如硃砂之色赤體重故能入心鎮驚內孕水銀故善透經絡墜痰降火雄黃之氣味雄悍故能破結開滯直達橫行氷片麝香乃開竅之要藥琥珀青黛亦清剌之佐助而已又

如殭蠶蟬蛻全蝎之屬皆云治風在殭蠶味鹹而辛大能開
痰涎破結氣用佐痰藥善去肝脾之邪邪去即肝平是即治
風之謂也全蝎色青屬木故善走厥陰加以鹽味鹹而降痰
是亦同氣之屬故云治風較之殭蠶此其次耳蟬蛻性味俱
薄不過取其清虛輕脫之義非有實濟不足恃也
凡驚風用水銀輕粉巴豆芒硝　霜　腦麝蟾酥蜈蚣等劑往
往由此變成慢驚難治況驚搐發熱若因内傷外感痘瘡而
作其害尤速寧用細辛姜活乾姜荊芥之類以代腦射發散

獨活柴胡山梔枳殼大黃之類以代銀粉巴硝通利蓋瀉青
凡治肝症尋衣直視或搐或不搐或臟腑飧泄諸藥不止特症
如驚熱出於心肺者宜桑皮葶藶赤茯苓車前子山梔甘草
姜棗煎服從小便利之導赤散能瀉肝風降心火最利驚熱
或加山梔姜活大黃又有驚癧驚瘌挾一切雜症者又當以意會之參用各門藥可也

附無驚風異論喻嘉言

驚風一症乃古人鑿空妄談致之小兒
受其害者不知千百億兆蓋小兒初生陰氣未足性禀純陽
惟陰不足陽有餘故身內易致生熱熱盛生痰生風生驚亦

所恒有乃以驚風命名隨有八候之目然小兒腠理不密更易感冒寒邪邪寒中入必先中太陽之經太陽之脉起於目内眥上額交巔上入絡腦還出別下項循肩髆内夾脊抵腰中是以病則筋脉牽強遂有抽掣搐搦角弓反張瘇瘇不通名目妄用金石腦麝開關鎮墜之藥引邪深入臟腑千中千死徒據八歲以上無傷寒之説而立驚風一門殊不知小兒不耐傷寒故初傳太陽一經早已身殭多汗筋脉牽動人事昏沉病勢已極湯藥妄投危亡接踵何由得至傳經解散故言小兒無傷寒也

小兒易於外感故傷寒為獨多而世所妄稱驚風者即是也是以小兒傷寒要在三日内即愈為貴若至傳經則無力以耐之矣且傷寒門中剛痓無汗柔痓有汗小兒剛痓少柔痓多世醫見其汗出不止神昏不醒便以慢驚為名妄用參芪术附閉塞腠理熱邪不得外越亦為大害但比金石略差減耳所以凡治小兒之熱切須審其本原虛實察其外邪重輕或陰或陽或表或裏但當撤其外邪出表不當固其入裏也仲景原有桂枝法若舍而不用從事東垣内傷為治毫釐千

里最宜詳細　急驚風附鎖陽癠審機夫風者一也在大人則為
中風在小兒則為驚風大人無驚故止名之曰中小兒易恐
且易惹風故以驚名而兼乎中也驚者有急有慢猶風之中
腑中臟急驚與中腑同謂之陽症而症俱在表慢驚與中臟
同謂之陰症而症俱在裏大抵驚屬于心風屬于肝心火動
故振摇而不可遏肝風發故搐搦而不自持二經相助其勢
必盛心有餘故火熾而風益猛是風從火出也肝有餘則風
狂而火益旺是火隨風熾也風火齊發故病可畏此特以急

驚言之故古人謂急驚慢驚為陰陽癎小兒陽常有餘陰常不足故易於生熱熱盛則生風生痰生驚經曰暴喜傷陽暴怒傷陰書曰傷陰則瀉傷陽則驚小兒暴喜傷乳夫乳甘緩礙膈又兼外感寒邪則痰涎壅塞鬱滯薰蒸內有食熱外感風邪心家盛熱則生驚肝家風盛則發搐肝風心火二臟交爭因乃痰生於脾風生於肝驚出於心熱出於肺驚風痰熱四症乃具八候生焉

別症寔熱為急驚屬肝木風邪有餘陽症也其候身發壯熱其眼常開竄視反張手足跳躍頭

項強直瘈瘲壅盛牙關緊急口中氣熱頰赤唇紅啼叫哭泣煩燥不寧飲冷便燥脉浮洪數此肝邪風熱陽盛陰虛症也又脉弦數浮洪其紋色紅而見於風氣二關者為輕見於命關者為重如鼻中出血者此熱已泄易治若口中出血啼哭無淚尋衣摸縫口鼻乾黑自頭至足偏動不止其紋三關通度色青紫黑或紋射甲者並皆不治八候者一曰搐肘臂伸縮也肝風則發搐二曰搦十指開合或握拳男握拇指出外為順入裏為逆女則反之出入相半者難療三曰掣肩頭相撲也或連身跳起也四曰戰或頭或身或手足

口目偏動不止也五曰反身仰向後勢如反張也六曰張臂如彎弓（男左手直右手曲為順否則逆女則反之）七曰竄直目似怒（男眼上竄為順下竄為逆女則反之）八曰視男引睛左視為順則無聲右視為逆則有聲（左肝部也竄視肝候也无声而為順右肺部也視右是木乘金金欲射木故相争有声為逆更必三焦煩悶狂叫頻ㄗ其声浮易治沉而不響者难痊）若牙關不緊喉無痰鳴此發痓之候而非驚也急驚八候俱全加以面赤唇紅渾身壯熱口中氣亦熱作渴引飲便秘尿赤此因有內熱外挾風邪風熱併作氣亂痰壅所以百脉凝滯關竅不通發時暴烈發過如故百日內見此症二三發不止者亦死

治法大抵陽症宜急治之不可稍緩須急截風截風不可過用防風辛味之劑以其辛匕使热熾又不可過用腦射等劑以致陽虧陰盛而变慢驚之症化痰疎通氣凉臟鎮驚隨候加減而已故治搐先於截風搐者肝家有風其筋不舒轉而致搐風去而搐自止也治風先於利驚驚在熱熾熱熾則生風驚散而風自已也治驚先於豁痰痰塞氣壅則百脉凝滯驚何由而散也治痰先於解熱蓋痰非火不升熱退而痰自息也最所要者宜於詳症處方外感者疎其表内傷者調其中則有據之痰病既除而無形之驚氣自散若於鎮驚起見一槩

用牛黃腦麝硃砂則反引外邪併入為害益甚矣凡急驚切不可按伏待其自定益風力徧行經絡自然止息不傷若一用力按束則經絡為尾邪痰氣所閉氣血偏勝致成痼疾至老難治矣處方一治急驚風兼治慢驚風涎潮昏冒目瞪驚搐釣肚宜

琥珀散又名急慢驚風丸　神砂　琥珀　牛黃　殭蠶　全蝎　胆星　白附　天麻　代赭石　乳香　蟬蛻各一　麝香五分　龍腦一字

為末三歲半字薄荷金銀湯下慢驚加附子

一治急慢驚風方用蚯蚓一大條白頸者佳去泥不見水急驚用上半截慢驚用下半截雄黃細末為丸硃砂為衣每服一丸姜皮湯下

凡急驚者陽症也寔症也乃肝邪有餘而風生熱熱生痰痰熱客於心膈間則風火相摶故其形症急暴而痰火熱壯者是爲急驚此當先治其標後治其本若痰喘甚者琥珀散見上抱龍丸見驚門 清膈散百四 梅花飲百五 火盛而煩熱者涼驚丸三四 抑青丸百六 或黃連安神丸百七 牛黃散百八 及山梔黃連龍胆草之類火虛燥熱而大便秘結者瀉青丸九二 利驚丸百八三 外感風寒身熱爲驚者當解其表如抑肝散百九 倍柴胡或参蘇飲九七 五積散百十 星蘇散百一十 擇用若表邪未解而内亦熱者錢

氏黃龍湯百六五　若驚氣漸退而火未清者安神鎮驚丸百十二

以上皆急則治標之法但得痰火稍退即當調補氣血以防虛敗大抵此症多屬脾腎肝膽陰虛血燥風火相搏而然若不固真陰過用祛風逐痰之藥則脾益虛血益燥邪氣綿延必成慢驚矣

急驚者風木旺也風木屬肝肝邪盛必傳尅於脾欲治其肝當先寔脾後瀉風木如風火相搏發熱驚搐目瞤筋攣痰盛者用六味丸百八六以滋腎水四君子湯百八八加芍藥以補脾土若肺金克肝木地黃丸百八六以益肝血加芍藥木香以平肺金屢用驚藥而脾胃虛寒六君子湯百三一以補脾土加丁香木香以培陽氣若脾土虛寒腎水反來侮土而致中

寒腹痛吐瀉少食等症宜益黄散三百六以補脾土而瀉水則不致慢驚矣如搐痰因氣鬱氣順則痰化而搐自止矣先宜蘇合香丸十三百薄荷煎姜汁下順氣下痰通竅或星香散一如開闗用吹鼻法見胎風門或用南星片腦爲末生姜汁調蘸藥於左右大牙齦上擦之牙熱即開　一治驚風痰搐宜用

截風丸　天麻　南星　殭蠶各二ㄅ　蜈蚣一條　白附　防風　硃砂　全蝎各一ㄅ　射香少許　爲末蜜丸梧子大每一丸薄荷湯下

定搐散治急驚定搐　蜈蚣一條　麻黄　南星　白附　殭蠶　姜活

大赭石　蝎稍　姜黄　砞砂各一ㄉ　麝香五分　為末每一字刷
芥紫蘇煎湯下如搐不止加烏蛇肉或牛黄清心丸二
抱龍丸治搐定而痰熱不退者　胆星一ㄌ　天竺黄五ㄉ　神砂　雄黄各二ㄉ半　射香一ㄉ
為末蜜丸芡實大甘草薄荷煎湯化下一丸痰熱嗽甚姜
湯下心中虚惕人参琥珀煎湯下　按抱者保也龍者肝也肝應東方青龍木主藏䰟䰟安則驚自定
牛黄抱龍丸治一切急慢驚風及風热疟癡等症　小児諸驚四辰感冒瘟疫湿痰邪熱以致煩燥不寧痰嗽氣急瘡疹欲出發搐常服祛風化痰鎮驚解热和脾胃益精神又治蠱毒中暑及室女白帶細嚼一二丸新汲水下
　胆星八ㄉ　雄黄　人参　茯苓各一ㄉ半
神砂一ㄉ二分　殭蠶三分　鈎藤一ㄉ半　天竺黄二分　牛黄二分　麝香五分

為末用甘草四刃煎膏和丸芡实大金箔為衣陰乾藏之勿泄氣每近微火邊每服一丸或半丸薄荷湯磨服如有熱者涼驚丸三四忌巴豆及藥熱如僵僕不醒者用浴體法見胎肥門如驚悸頑痰温胆湯三加酸棗仁或硃砂安神丸百二八

定魄丸治驚風已退神魄胆志未定者

人參　琥珀　茯苓　遠志　硃砂　天麻　菖蒲　天門　棗仁　甘草各等分為末蜜丸皂子大硃砂為衣每一丸灯心薄荷煎湯化下

醒脾散治痰作驚風脾困昏沉默ヲ不食吐瀉不止

人参　白朮　茯苓　甘草　白附　殭蚕　天麻　木香各五分　全蝎半二分　加姜棗煎服或為丸

附鎖陽癖如身發風熱禁口交牙寃似驚風但發無度數又

似癱瘓此名鎖陽痱必死之候也

慢驚風 附暑風

審機夫心以神為主神以陽為用有因吐瀉有因暴洞瀉脾胃虛弱亡陽而成者有因急驚過用寒凉以致陽虛陰盛心神鎮墜而成者有因傷寒下早表邪未去元氣已虛致風邪伏內痰壅氣塞而成者有因咳嗽不已肺氣受傷肝木無制而成者亦有小兒脾胃素弱或受寒風而得此症則不必指病後與誤藥者書云慢驚慢脾與寒熱相并稍緩而反深矣

別症虛熱為慢驚屬脾土中氣不足

陰症也故曰慢驚本無熱所以熱者虛使然耳其候眉唇青赤而黯面色淡白腮間現紋紫赤或身凉身熱虛熱往来睛常半開或肢體逆冷或手足悉冷口鼻氣出亦冷十指開撒手足瘈瘲或微掣氣微神倦形體若呆昏睡露睛痰鳴微喘氣促驚跳搐搦乍作乍止大便滑泄其脉沉緩或見細數其紋色赤而微帶青紫伸来縮去於風關者稍輕於氣關者爲重男子以瀉得之爲重女子以吐得之爲重若爪甲青黒主肝絶目睛下陷黒睛若無光力者主腎絶身額汗出如珠不流者是衛氣已亡心氣欲絶

咬人是齒痒主腎絕嘔吐頻頻瀉遺無度面色如土喘急腹脹斑色紫黑口穢唇堅遶口青黑者主脾胃絕氣急痰鳴鼻管中黑魚口鴉聲主肺絕舌黑下便黑血額頰深赤如塗胭脂主心絕吹鼻不嚏下藥不得口中有痰粘塞者是五臟咸傷又有挖舌囊縮啼哭無淚眼下青紋胃中作痛四肢癱軟目閉失神天柱骨倒唇青眼紅脚心不知痛癢咬齒摇頭拳禁胸高心陷氣喘目睛紅色咬唇不休赤脉上貫瞳神風關紋色青黑或至純黑直透命關或紋射甲者並皆不治

治法凡慢驚陰症也虛症也此脾胃俱虛肝邪無制因而侮脾生風無陽之候也故其形氣病氣俱不足者是為慢驚此當專顧脾胃以救元氣書云曾經吐瀉便是慢驚若因吐瀉而生慢驚則難治

一果無陽症須速生胃回陽於溫煖劑中少加截風化痰疎通順氣鎮心定魄隨候加減便閉當使不閉不可再輕迅攻便瀉當使不瀉僅可分利陰陽若身熱者是虛熱使然矣如症原於急驚傳變手足熱而果有陽症一不可過用溫煖燥熱之劑蓋小兒易虛易實可圖度而用之

均平陰陽而已慢驚亦有虛熱而便閉痰塞氣壅使誤爲寔熱妄用巴黃以下痰行便或投腦麝以通竅凉臓致使陰氣愈盛陽氣愈虛幸而不死則成慢脾風之症矣

處方一治慢驚症宜畧於風搐而着重於脾胃也宜用調中湯和脾胃止吐瀉正氣温中人參　白术　茯苓　炙草　白芷　木香　半夏　藿香　石蓮子去心　天麻　橘皮　扁豆　姜汁炒各五分　○理中湯治吐瀉手足厥冷人參　白术　炮姜　炙草　姜棗煎服

姜棗水煎服惡寒加附子釀乳法治慢驚昏睡多啼凡面脉細者难治人參　木香　藿香

沉香　陳皮　神曲炒　麥芽　丁香各等分　右剉散每服三ㄅ
姜十片紫蘇十葉棗三枚煎乳母食後捏去乳汁服之即
仰臥嬰■時入乳之後畧令兒吮不可過飽亦良法也
生附子四君湯助胃回陽　四君湯加生附四分之一厥逆者對加
每一ㄅ姜三片煎熱以匕送下
異功散温中和氣治吐瀉不思飲食及虛冷病　人参　茯苓　白朮　炙草　橘皮
木香等分　剉散每三字姜棗煎服一方無木香　凡脾土微虛微瀉而
內不寒者可平補之宜六神散百二三四君子湯百八或五味異

功散百十八脾腎俱虛而臟平無寒者宜五福飲四且陰血生於脾土又宜四君加當歸棗仁脾氣陽虛微寒溫胃飲百二五理中湯見上五君子煎百二一脾氣虛寒多痰六君子湯百三一金水六君煎六脾腎陰陽俱虛而寒者惟理陰煎百二六為最妙脾腎虛寒之甚或吐瀉不止者附子理陰煎七再甚者六味回陽飲八四味回陽飲九脾胃虛寒泄瀉不止者胃關煎百二四急驚屢用攻瀉則脾損陰消變為慢驚則當補脾養血佐安心清肺制木之藥脾胃虧損肝木所勝外虛熱而內

真寒五味異功散百十八加當歸佐以鈎藤飲十以補脾土平肝木如不應六君子湯加炮姜木香以温補土更不應急加附子以回陽切忌逐風驅痰之品　按附子温中回陽為慢驚之聖藥也如元氣未脱用之無有不效氣脱甚者急宜炮用之元氣虚損而至昏憒者急灸百會穴若待下痰不愈而後灸之則元氣脱散不可救矣如陰症慢驚自陽症急驚傳來纔經吐瀉便是慢驚凡因吐瀉得者理中湯見上加木香或五苓散二九　脾困不食醒脾散見急驚門　吐瀉脾虚變成慢驚身

弓鬢直吐乳汗多貪睡用　加味术附湯治吐瀉後　附子
白术各一月肉豆蔻　丁香　甘草各五ㄅ每二錢薑棗煎服此溫
寒燥濕行氣健脾之劑因下積聚轉得者先與木香勻氣
散二十因外感寒邪得者先與桂枝解肌湯三十因夏月脾胃
伏熱大吐瀉得者當解暑熱不可專一回陽其他久嗽久
痢傷寒變陰過服寒藥之類可以類推初傳尚有八候陽
症在者但於生胃氣藥中加以截風定搐如全蝎花蛇殭
蠶白附天花南星輩可冷可熱均平陰陽不必專一回陽方傳慢驚者用

蝉蝎散(治方傳) 全蝎七ケ 蝉蛻二十ケ 南星一ケ 甘草二ツ半 毎五分 姜棗煎服不省人事者保命丹(百三五) 吐瀉痰壅者来復丹(百二) 已傳慢驚外無八候但吐瀉不止者用 烏蝎散(治已傳) 全蝎七ケ 人参 白朮 茯苓 炙草 川烏 南星(各一分) (姜棗煎服如再服去川烏)

硫附丸(治厥冷同陽兼治慢脾風肢冷) 生附子尖三ケ 蝎稍七ケ 燕硫黄一ツ (為末生姜汁為丸菉豆大毎十丸米飲下)

古礞石丸(治風痰壅塞) 青礞石(搗碎一刄同焇硝五ツ入砂堝炭火煅紅候冷為末) 烝餅丸菉豆大毎服二丸薄荷荊芥煎湯下 慢驚慢脾木香湯下(但礞硝雖能利痰而非胃家所好故以木香佐之自然痰隨大便出而無壅来不動臓腑始知藥妙)

霊脂丸(治畜痰而忌下者用此) 五霊脂 白附子

木香　殭蚕各一分　全蝎半分　硃砂一分　南星五分　為末醋煮生半夏糊丸麻子大每三丸姜湯下

安神散　治慢驚亦治搐搦　全蝎四个糖水浸一宿　用南星一箇開一穴入蝎在内以南星末蓋口麪包火煨赤色埋土中一宿去火毒取出去南星用全蝎為末每一字磨刀水調服

白玉餅　治昏迷九九有痰　方中麝香開竅龍腦輕粉下涎硃砂凉心皆為純陽寔熱者設虛者全要斟酌用之

附暑風〇一　月暑而手足微　搐眼閉昏睡身熱頭痛面赤大渴候與慢驚相似此名暑風須當解暑不可妄投驚劑

慢脾風附爲痡吐瀉論審機二慢驚屬木火土虛也木虛則搐而力小火虛則身口氣冷土虛則吐瀉露睛溫之足矣至於慢脾陰氣極盛胃氣極虛病傳已極總爲虛症惟脾所受故曰脾風傳變而爲極虛之候初非別有一名也小兒睡中驚動者因臟腑嬌嫩血氣未充神氣浮越且多由心胃不足所致蓋天之神氣在日月人之神氣在兩目寤則棲於心寐則歸於腎心腎既虛則神無所依氣無所歸不能寧攝故睡中驚動也五臟俱有陰陽如肝氣爲陽爲火肝血爲陰爲水肝氣旺

則肝之血愈衰火妄動則水被煎熬益甚火旺陰消勢所必
至況小兒多稟腎陰不足虛火内動熱極生風風從火出非
外症也其候手足不動遍身皆冷或有熱兩眼常合聲音沉
小不能啼哭面青舌短或吐頻嘔頭低吐舌口噤咬牙睡中
摇頭或四肢微搐冷而不收痰涎凝滯神志昏迷頹汗多手
空摸人況沉喜睡症而至此無復加矣由於急驚傳慢驚慢
驚而後成脾風此純陰之症也或云此又為虛風因吐瀉日
久風邪入於腸胃乃大便不禁面色虛黄脾氣已脱真元已

瘈繼此發熱卽是慢驚不必皆由急驚傳至其脉沉微遲緩其紋紅紫絲於風關者輕若青絲紫絲黒絲隱隱相雜於風關者重於氣關者爲尤重口中出血或瀉黒血惡叫二三聲者心絶也目睛反轉介甲青黒是肝絶也瀉無止息脾絶也吐止又吐胃絶也兩目不開不合忽作鵶聲肺絶也口吐白沫腎絶也此爲妃症又有身額汗多頻吐腥臭瀉遺黒色氣急姝常是脾胃絶也並不可治　治法。慢脾之作逐風則無風可逐療驚則無驚可療乃至重之候十難救一其治惟生胃養脾回陽益志鎮心定魄化痰順氣而已若眼半開半闔手足不冷、二便皆難、此尚有陽症、須温和化痰理氣不可即用回陽然亦不可因有陽症而用清凉之劑、此僅虛火往来會成如陽症也、小兒平居聞響跳掣睡中驚哭者由肝肺有虧魂魄受傷精神失守宜補肝肺不可用驚風之藥治之忌驚藥者寒傷胃也、忌風藥者風能燥血也、辛能助熱也忌辛竄者走散真陰也、忌伐肝者肝未平而脾先困也忌瀉肺者子氣虛而母氣愈虛也大抵太温則消元陰太冷則傷真氣須適其可耳急驚在初病尚為實症或因驚驪或因風熱或因痰熱或因食欝隨所因而施治佐以驚門類藥從標而清之可也至於慢驚慢脾乃投治未當由客病而累及本病客邪之去則難定依稀之元氣無幾必當顧本却邪如脾虛者力補脾元陰虛者力滋真水虛火旺者甘温退之虛寒甚者温補保之正氣得力微邪自解矣

朮附湯 治慢脾尾身弓髮直吐乳食睡汗流不已

大附子一个炮 白朮一刄 肉豆蔻一个麪煨 炙草 木香各五ㇷ 右㕮咀每服二ㇷ姜棗水煎服如由慢驚後吐瀉損脾已極故曰脾風

但脾間虛熱往来眼合者脾困神迷痰涎凝滞難療亦不
由急慢風傳次而至者如初傳慢脾陽氣未甚脫者用
白殭蠶丸　南星二ㄋ　殭蚕　地龍　全蝎　五靈脂各一ㄋ　為末
熖半夏曲為糊丸麻子大每五丸姜湯下
黑附子湯治風盛四肢厥冷者　附子三分　木香一分半　白附一分　甘草半分　姜煎服得
手足温蘇省為度次以四君子湯百八八加附子或異功散以
温中若脾困不食醒脾散吐瀉者加味朮附湯見慢驚門　重者来
復丹二百七　金液丹五十五　肢冷硫附丸見慢驚門。附驚癖吐瀉論。驚癖吐瀉症候雖四其原則一驚者火乘肝之風木也癖者熱乘脾之濕土也吐者火乘胃膈而上行也瀉者火乘脾與大腸而下注也夫乳者血從金化而大寒小兒食之肌肉充寔然其體為水故傷乳過多反從濕化濕熱相兼吐利作矣醫者過用燥熱峻攻則去濕留熱熱病生焉或謂小兒純陽之體多以寒凉施治非也蓋女子二七男子二八而天癸至天癸者陰氣也陰氣未至故曰純陽原非謂陽氣有餘之論特稚陽耳稚陽之陽其陽幾何使陽本非寔而誤用寒凉則陰既不

足又伐其陽多致陰陽兩敗脾腎俱傷又將何所依賴而望其生長耶要宜審其禀賦陰陽偏盛而濟之以平斯無弊矣

馬脾風　別症。馬脾風因於寒邪停留肺俞寒化為熱亦生痰　喘呃逆上氣肺脹齁齁（俗云馬脾風）若不速治之立危宜用抱龍丸（見急驚門）或馬脾風散

馬脾風散　神砂（二ワ半）甘草（五分）甘遂（一ワ半）為末每一字用温漿少許上滴香油一點挑藥在油花上沉下却去漿水灌之若只痰嗽將發搐先宜惺惺散（九六）參蘇飲（九七）人參羌活散（九八）次服保命丹

保命丹治初生臍風撮口夜啼胎驚內釣肚腹堅硬目竄上視手足搐掣角弓反張痰涎壅盛一切急驚及慢驚尚有陽症常服安神

全蝎十四个　防風　南星　蟬蛻　殭蚕　天麻　琥珀各二
白附　神砂各一　麝香五分　有熱加牛黄片腦一方加姜活　右為末粳
米飯擣丸皂子大金箔十片為衣初生兒半丸乳汁化下
十歲已上兒二丸藥藤燈心煎湯或薄荷金銀煎湯下如
天釣加犀角天漿水雄猪胆汁為丸井水調化一丸入鼻
內令嚏次以藥藤煎湯調服凡外感夾驚亦宜此法防之

發搐　審機。一凡小兒氣血未定不能勝任乃發搐也或曰百日内搐亦有因乳母七情厚味所致搐症已具於前矣更有百日卽驚風之屬但暴而甚者曰驚風微而緩者曰發搐發搐不治漸成驚風矣　別症。其候因於風者則面青目赤因驚則叫呼搐搦因食則噯吐氣悶脾肺虛則生粘痰喉間作鋸聲此心火不能生脾土脾土不能生肺金以致肺不能主氣脾不能攝涎故涎氣泛上而喉中作聲耳若逆搐者亦不治如百日内發搐真者内生風（内生風搐）二三次必死假者外生風（外傷風冷）雖頻發不死假症則口中氣熱脉洪而不沉（細面紅而不青黯者是也）

治法　凡搐之假症則治宜發散若脾肺虛痰壅作喘不可
用祛風治痰之劑則氣散陰消而促其危矣若因乳母七情
厚味宜兼治其母而以固胃為先不可徑治其兒如寔者乃
木寔則生火生風而為熱為驚土寔則生濕生滯而為痰為
積知斯二者則知所以治寔矣治寔之法當從急驚言寔者
乃邪氣之寔非元氣之寔也治此者切不可傷及元氣若病
已久尤當專顧脾胃則根完本固而病無不愈矣如虛者肝虛
則為筋急血燥為抽搐強勁為邪視目瞪心虛則驚惕不安

脾虛則為嘔吐為暴泄為不食為痞滿倦卧為牙緊流涎為手足牵動肺虛則氣促多汗腎虛則二便不禁為津液枯槁為聲不出為戴眼為肢體厥冷為火不歸源知此五者則知所以治虛矣涎八心脾則不能言宜用凉心鎮驚下痰之藥若因風邪内欝發熱而變諸症者當理肺金祛風邪若外邪既解而内症未除當理肺補脾若肺經虧損而致驚搐等症當補脾肺以平肝心則驚搐自止矣要知五臟傳變皆痰為患盖痰乃風道水靖則伏於脾火動則壅於肺痰火交作則

為急驚或成喉痺痰火結滯則為癇鈎或為咳嗽痰火去來
則為瀉青皆由脾濕而來所以驚風忌用純風藥不(問急慢當以血藥為使)
處方。一治搐搦之症宜以安神散(見驚門)凡傷風發搐口中氣
熱呵欠手足動者名假搐用大青膏(九九)以發散風邪傷風發
搐口氣不熱肢體倦怠異功散(見慢驚門)以補脾土鈎藤飲(十)以
青肝木若停食發搐嘔吐乳食者消食丸(百十七)若傷食後發搐
身熱困睡嘔吐不思乳食者當先定搐後用白餅子(十八)下之
若食既散而前症仍作或變他症者脾土傷而肝木乘之也

宜六君子湯百三一加鈎藤以健脾平肝如手足冷汗搐眉搐肚
日夜不止各真搐用人參湯十九加川烏全蝎等藥平其胃氣
寅卯辰■時發搐而發熱作渴飲冷便結屬肝膽經虛熱用柴
芎參苓散二二作渴引飲自汗盜汗屬肝胆經血虛用地黃丸
百八六口吻流涎屬肝木尅脾土用六君子湯百三一已午未■時發搐
若兼作渴飲水屬風火相搏以地黃丸百八六補肝導赤散百五九涼
驚凡三四治心若作渴飲湯體倦不乳土虛而木旺也用地黃
丸百八六以補腎六君子湯百三一以補脾申酉戌■時微搐而喘目微

斜身似熱睡而露睛大便淡黃屬脾肺虛熱用異功散見慢驚門

君手足虛冷或喘瀉不食屬脾肺虛寒用六君子一百三加炮姜

木香火病而元氣虛者用六君子湯一百三六味丸六百八亥子丑時

微搐身熱目睛緊斜吐瀉不乳厥冷多睡屬寒水侮土用益

黃散六百三未應用六君子湯一百三加乾姜肉桂一寅卯辰時搐者

肝木旺也腎氣丸一百以補腎瀉青丸三九以瀉肝一巳午未

時搐者心火旺也腎氣丸一百以補肝導赤散九百五涼驚丸四三以

瀉心一申酉戌時搐者肺金旺也益黃散六百三以補脾導赤散

以抑心瀉青丸三九以抑肝一子亥丑時搐者水土俱旺之時水虛不旺惟土旺也益黃散三百六以補脾導赤散五百九涼驚丸二四以抑心

魃病

審機。一兒將適歲母復有妊兒飲其魃乳又名㜷乳以成斯症或有患他病兒飲其乳以類母病者有焉蓋母之氣血若調乳則長養精神氣血一病乳則反生他病母既妊娠精𦾔一下蘊氣則壅而為熱血則鬱而為惡小兒神氣未全易於感動又有謂於受妊之時或因大寔大虛饑飽勞役大暑大寒風雨雷電及陰陽不和等犯禁亦成此候

別症。其症寒熱時作微微下痢毛髮擧擧意殊不悅甚至面
色痿黄腹脹青筋瀉青多吐日漸尪羸乳食不進形枯骨立
便成癖狀俗以孕在腹中因兒飲乳其鬾識嫉而致兒病故
謂之胎妬之症兩兒相妬之義也　處方。如鬾病者因姙婦
被惡祟導其腹中令兒下痢寒熱去来毛髮不澤宜千金龍
膽湯十二仍以紅紗袋夜明砂與兒佩之　骨蒸　審機。一蒸
熱之病多起於足陽明其始也火上冲而能啖火消爍而善
饑蓋胃為血氣之海血氣不足邪火殺穀水穀之精不足以

濟之而為骨蒸。一凡或因病後失調元氣未復而成瘵症如身雖肥潤而內氣如火善饑善渴小水赤色此為骨蒸繼此朝涼夜熱而成瘵矣別症。一水穀之精不足漸成口穢煩燥夜熱朝涼毛焦口渴氣促盜汗形如鵠立謂之消癉若大便日有十餘次肢瘦腹大頻食多饑謂之食併再失調治邪火不退相傳相變耗燥精滋五臟俱困如傳諸肝則多怒善恐頰痛轉筋遇卯酉時則較重傳諸脾則神怠肉腫足冷腹鳴遇辰戌丑未時則較重傳諸肺則咳嗽膈脹背楚惡寒遇午後則較重傳諸心則五心燔灼唇鮮口苦當午則較重傳諸腎則虫食脊髓宣露柴骨遇陰分則較重　治法○一此皆邪火為害而耗傷精血以致病若致年大情竇既開損傷精血而成骨烝者此又是精血受傷當於精血根本處求之腎為精血之海也如因大病後骨烝者榮衛虛弱宜滋養氣血或禀賦弱者宜謹避風寒以護其外調飲食以養其內　處方○一補精血者無如六味八味加鹿茸河車之類更以後天氣血藥之如八珍十全帰脾間

三才膏治骨烝痿黄　天門　地黄　人参等分水煎成膏白湯調服如盛热者宜生犀散三或四君湯百八加減治之

痿黃　審機○一痿黃者猶樹木之精滋不足故痿而黃也在人為病本於脾胃有傷故土色自見也

別證○脾本惡濕有為濕烝者則胸腹膨脹手足浮腫黃中帶黑唇燥口穢者有得久病者則毛焦體熱陰囊光亮目黃腳腫嗜食善饑黃甚如疸者又有得之風熱之後氣短神倦黃中帶白如新出鵝翎俗名鵝白者有得之傷食者則噫逆酸楚頭浮唇白黃中帶赤煩渴口穢

治法○治濕熱者宜服蒼朮半夏澤瀉之類治久病者宜用茯

蒼薄桂厚朴之類治風熱者宜針破其手足指尖蓋食指大腸絡也此乃疎壅導塞之意耳内服扶脾開胃導水之藥為主治傷食者宜用莪朮枳殻介子山查之類

汗多　審機。凡小兒元氣未充腠理未密所以極易汗出故凡飲食過熱衣服過煖皆能致汗或云此是小兒常事不必治之然汗之根本由於營氣汗之啟閉由於衛氣若小兒多汗乃是衛氣不固汗既出多未免營衛氣血愈有所損而衰羸之漸未必不由乎此

治法。凡小兒汗多不可不治也大都治汗之本當以益氣為

圭使陽氣內固則陰液內藏而汗自止矣
處方。凡小兒無故常多盜汗或自汗者宜團參散百五六參苓散
二二四君子湯百八八五味異功散百十八白术散二三甚者三陰煎二四人
參養榮湯二五十全大補湯百九一若心經有火而見煩渴生脈散
百二七一陰煎二七若肝脾火虛內熱薰蒸血熱而汗出血脈必淇
滑症多煩熱宜當歸六黃湯二八加減一陰煎二九若陽明實症
汗出大渴者仲景竹葉石膏湯或因病後或大吐大瀉之後
或誤用尅伐之藥以致氣虛氣脫而大汗亡陽參附湯三一六

味回陽飲八𦊰附飲二三若在襁褓中多汗者人參少一泡湯與服即止若以不服參必又汗出再服再止其應如神大都汗多亡陽者每致角弓反張項強戴眼等症此太陽少陰二經精血耗散陰虛血燥而然速宜用大營煎百八四人參養榮湯二五十全大補湯一百九若作風治萬無一生矣如胃怯出汗上至頸下至臍者益黃散百三六或因心虛驚惕者以致脾弱少食心液汗多大溫驚丸一百四驚熱小涼驚丸百四三俱以牡礪麻黃根煎湯下全因驚惕盜汗者古芷砂散三五脾胃虛弱者錢氏白朮散

三六如盜汗不止氣弱體瘦乃心血溢盛爲汗非虛也宜人參當歸各一兩猪心一大片煎服以收歛心血如手掌心汗多者亦致如徧身汗出者痰大盛也宜香瓜丸

香瓜丸　胡黃連　大黃　柴胡　鱉甲　黃栢　黃連　蘆薈　青皮各等分　右爲末用大黃瓜蔞一片去頭共入諸藥至滿却蓋口用柴插定慢火內煨熟取出搗爛麵糊丸菉豆大每三丸或五七丸食後冷漿水下如臍下手足掌心陰汗煎地骨皮湯洗白礬爐底末敷之如頭汗遶頭而止

本屬陽虛但小兒純陽或因厚衣被而額汗出或睡中盜

出者用故蒲扇燒灰爲末每三錢温酒調服輕者不藥自止如滿口生瘡及久病額汗如油者不治

牡礪散治小兒自汗 牡礪煅 黃芪蜜炙 生地黃八浮麥麻黃根同煎食前服

止汗散 人參 白朮 茯苓 黃芪 當歸 炙草各一用生姜一大片入麥麪同煎服

撲汗散 牡礪 麻黃各一兩 赤石脂 糯米粉煅 龍骨各五爲末綿包藥扑於身上

溺白 審機。凡溺白者乃脾胃濕熱也凡飲食不節者多有

此症然亦有氣虛下陷而然者一云脾經有積久則成疳亦兼心膈伏熱得之

別症 其症小便白如米泔或溺貯少頃變作疳濁者一云平

時小便變色或黃赤惡臭淋閉澀難渾濁如米泔者此爲溲白治法。一於此而失治則陰陽不分爲瀉爲痢濕熱不去爲痿爲淋而成痺症矣若見溺白而別無煩熱脈症則節其生冷水菓及甜甘等物不久自愈切不可因溺白而過用苓連梔子之類多致傷脾而反生吐瀉等症漸至羸敗者凡脉症兼火者當用清利導赤散百五九四味肥兒丸三七若飲食過傷兼脹滯者保和丸百十五大安丸三八若形氣不足或黃瘦或吐泄者五味異功散百十八四君湯百八八補中益氣湯三九若

肝胃火盛移熱膀胱者必兼痛澁煩熱七味龍膽瀉肝湯
四十若脾胃本虛而兼濕熱者四君子湯百八加炒黃連若只
見溺白無大鬱熱只用清涼可也如伏熱而溺白如泔宜用
茯苓散　赤茯苓　三稜　莪朮　砂仁各五ワ　青皮　陳皮
滑石　甘草各二ワ半　為末麥冬燈心煎湯調服
十餘歲因驚之後心氣下行小便淋瀝日夕三四十次漸覚黃瘦宜用
順驚散　韮子　琥珀　益智仁　金毛狗脊　白茯苓
石撼各五ワ　石葦一ワ　右為末每一ワ韮湯調日二服

初生小便不通　審機○一小腸爲心之腑水氣實行隨氣而利心氣若壅小便不通心氣若冷小便洒淅心氣若寒小便多旋心氣若熱小便難泄心氣積熱小便必先赤而後白又腎主水而膀胱爲腑水滿膀胱而通泄於小腸又上應於心蓋陰不可無陽水不可無火水火既濟則上下相交榮衛流行水道得所若心腎不調內外關格傳送失常而水道澁熱則不通冷則不禁若七日之內而腎縮者亦初生受寒所致也

處方○一方治不尿不飲乳　大葱白二三莖　每莖切作四片用乳半小盞同煎

片時分作四次服卽通如不飲乳者服之卽飲乳

一方治小便秘澁 赤茯苓 麥冬 燈心 車前 水煎服

一方治心寒積熱併於小腸急用生地竜數條蜜少許研勻敷陰莖上麥冬燈心煎湯服

掩臍法治嬰兒大小便不通 連根葱白一莖去土 生姜一塊 淡豆豉二十一粒 鹽一小匕同研爛作餅烘掩臍用帛札定良久氣透自通未通者再用

一方用蠶蜕燒灰入硃砂腦麝少許為末

導小赤散治小兒心經內虛邪熱相乘煩燥悶乱傳流下部者小便赤澁淋閉臍下滿痛 生地 木通 甘草 竹葉為引煎服一方加黃芩

初生大便不通　審機。一五味之精華而清者乃養五臟五味之糟粕而濁者乃歸大腸別症。其症有數日不大便腹脹悶痛胸痞欲吐咽燥秘塞熱氣煩灼者此熱邪聚內津液中乾大腸枯澁而氣滯也

治法。其治當即下之否則內熱久鬱氣不行而滯不化必变爬候矣

處方　葱蜜湯治嬰孩虛秘　葱白三莖　水煎去葱入炒阿膠及生蜜溶化食前服

甘枳湯治嬰孩虛秘　甘草　枳殼各一ク　水煎食前服

三黃犀角散治臟腑熱秘　犀角屑　大黃酒蒸　鈎藤　梔子　甘草

黃芩　等分為末熱湯調服　初生二便不通

別症。如生後面紅氣急胲湙呵欠二便不利或有血水甚則手足常搐眼常斜視身常掣跳宜連翹飲見肥。五福化毒丹一百見門 梨漿飲見發熱門

處方如生下眼閉面赤二便不通不飲乳者宜釀乳方

釀乳方 澤瀉五分 生地四分 猪苓 赤茯苓 天花粉 茵陳 甘草各二分 水煎令乳母捏去宿乳服之良以乳兒

初生腹脹 治法。大便不通腹脹欲絶者令婦人以温水嗽口吸咂兒前後心并臍下手足心共七處吸咂三五次以紅赤為度便通則脹止初生不尿者亦用此法

重舌　審機此心脾有熱也盖心候於舌而主血然脾脉絡於舌下火土又子母也有熱即與氣血倶盛

別症其症附舌下近舌根而（重生一物如舌短小而腫曰重舌）

治法湛宜針刺出血再生再刺不尒則脹滿塞口有妨乳食

處方　當歸連翹湯（治心脾有熱重舌）　歸尾三ㄱ　連翹三ㄱ　白芷二ㄱ　大黃一ㄱ　甘草　水煎服

千金方（治舌腫）黃栢為末以竹瀝浸一宿點舌上甚者加朴硝白塩（重舌木舌）通用百草霜芒硝滑石為末酒調敷之不致于生熱

所謂寒者淋凍之也惟令常溫不致于其煖耳冷煖得宜豈復有重舌鵞口之病耶其治宜内服瀉心清熱之劑而外塗凉藥則重者可消而白者可退也

弄舌　審機。此脾臟小熱舌絡微緊時時舌弄所有飲水者亦脾虛津液不足耳若大病之末而弄舌者凶

別症。凡出長而收緩者名曰舒微露卽收舌乾腫滿者名曰弄若舌上有出血者名曰舌衄總心脾虛熱症也

處方治之勿過用凉藥宜瀉黃散二百漸服之若面黃肌瘦五心煩熱者胡黃連丸三四

清胃散 治舒舌弄舌

防風　黄芩　花粉　厚朴

石羔　枳殼　黄連　陳皮

甘草　水煎服

一方治舌出數寸以冰片為末敷之

榴舌

别症

初生舌下生膜，如白榴子連於舌根，令兒聲不能發

治法

宜急刮之出血以髮灰摻之

重齗重腭

別症

重齶者乃著齒齗而生者是也

重腭　　者初生上腭有物脹起宛如懸癰是脾胃挾熱

氣血不能收斂胎毒上攻則乃成夭其治速宜用綿纏長

針露鋒刺腫處如治重舌法

處方

青洹散 治重舌兼治鵞口口瘡壅蹇

龍腦一分　青黛　朴硝各一

右為末蜜調用鵞翎敷上少許　一方有牛黄

冊黛散 治重舌兼治咽瘡腫塞者

黄連　黄栢各一　青黛　牙硝

神砂各二分　雄黄　牛黄　硼砂各一分

片腦二厘　為末先用薄荷汁拭口後以藥末少許摻之

天南星散治重腭重齶

天南星去皮臍爲極細末用醋調塗脚心男左女右厚

皮紙貼如乾再醋潤

消毒犀角飲治蘊熱重舌木舌一切熱毒等症

鼠粘子炒四刂　荆芥　甘草　黄芩各一

防風　犀角各五分　水煎服

附重舌鵞口論

舌重者舌下腫突其狀若有一層鵞口者滿口皆白有似鵞

之口中俗謂雪口重舌屬心鵞口屬脾總為心熱何者心統于脾脾為心之子心熱則移熱于脾故心沿于口也使不由于心熱則口雖白而舌亦赤何為而舌皆白乎夫舌者心之苗也心者君火其體本熱況兒以純陽之軀先受熱于胎復感熱于内其母愛惜之至惟恐其寒又褁之以重衣是亦母之致之也古云若要小兒安常令饑與寒饑不致于傷脾寒不致于傷血

木舌

審機

一因藏腑壅滯心脾積熱其氣上冲是以舌腫尖大塞滿口中

若不急治則致害人更不可用手去拔拔則舌根乃損長感

語言不正如啼吽魚声面色頻變而驚疼者不治宜當歸連翹湯千金方二方在重舌目

馬牙別症

連口内并牙齦生白點者名曰馬牙不能食與鵝口不同一名口瘡七星瘡

治法

若少緩不䏻救急以針挑出血用京墨磨菹荷汁以毋油髮裹手指蘸墨遍口擦之勿得食乳令兒睡一時醒與乳再以擦之卽愈

處方

如有泄瀉脾弱不䏻接納下焦陰火上乘為口瘡切忌凉藥宜六君子湯百三一理中湯見慢驚门如心肺胃蘊熱則清之宜大連翹飲見肥兒门五福化毒丹一百

鵞口

別症

鵞口者乃胎熱蘊畜心脾上蒸於口舌上遍生白屑如鵞之口是也

處方

一捻金散（治鵞口瘡）

雄黄（三錢）　硼砂（一錢）　竜腦（少許）　甘草（五分）

為末乾擦患處或蜜調搽之

一方用髮纏指頭蘸菹荷自然汁拭淨如不脱宜用

保命散

枯礬　硃砂恪一　馬牙硝伍

右為末每一字取白鵞糞擂水調塗舌上及頷頰內

口瘡与後唇口條参看

治法處方

此由心臟積熱所致用淡醋調南星末貼兩足心乳母服涼心藥如洗心散四五如輕者用黄連或細茶為末火加甘草蜜

調敷之甚者用黄栢青黛片腦爲末竹瀝調敷或煎保命散
上見去其鵞糞尤妙
如滿口生瘡糜爛者用黄栢細辛青塩爲末噙之吐涎三日
即愈大人亦用
如口爛不能吃乳者用巴豆二粒八硃砂黄卅土砂少許同
搗爛剃開兒顖門貼之如回边起粟米泡急用溫水洗去瘥
成瘡用菖蒲煎湯洗之立效
果参凡治口舌生瘡

玄參　麥冬　天冬各一分

右爲末蜜丸綿裹噙化嚥津下

垂癰

別症

一垂癰懸癰者宛如芦籜盛水之狀

處方

一治宜刺之令泄去青黄赤血鹽湯洗拭蜜調一字散四六

火許傳之再生再刺可也

滞頤

審機

一脾涸為涎脾胃虛寒不能收攝故流涎而潰於頤間也
經曰舌縱涎下皆屬於熱當兼脉候參詳可也更有時時
吐唾者由腎氣先天禀受不足玄池不能收攝精華而涎出

治法

一脾冷者治當温脾斂澁為主腎虛者當補腎宜地黄丸

百八六○處方

如熱涎稠粘者乃胃火炎上也宜通心飲九百九或瀉黃飲
七四加減用之如冷涎自流者乃胃虛不能收斂也宜木香
半夏丸八四
温脾丹治脾冷滯頤薛氏六不能收攝所致
丁香　木香各一兩　半夏一兩用生姜六兩擣細炒令黃去姜
青橘皮　白术　乾姜炒各五ゾ
為末麪糊丸米飲下
一方加人參肉豆蔻甘草　一方加益智仁

清脾飲治脾經蘊熱而舌下廉泉穴不能收斂而下者

人參四分　黄連四分　茯苓八分　山藥飯上蒸熟炒黄六分

米仁一炒黄一ク　石斛五分　石羔一ク　半夏四分

加蓮子七粒　灯心七莖　水煎食遠服

腦冷腦熱

別症

一有腦漿水溜從鼻中出非鼻淋也日久不瘥氣息甚惡此腦

冷也若腦梳骨疼閉目不開或太陽穴痛攢眉啼呌兩目

赤腫此䐐熱也

治法

一䐐由於髓髓由於精況上病治下䐐冷者溫補其精血䐐熱者清其頭目凉其肝胆所謂寒者溫之溫乃補也熱者凉之凉乃瀉也

處方

神仙一黃散治小兒䐐散

硫黃　黃册炒　白芷各等分

右細末用少許吹鼻中十餘次卽止

透頂散治小兒腦熱

川芎末　萡荷末　朴硝等分

研勻用少許吹鼻中

变蒸附靈樞行立坐卧論

審機

变者变生五臟蒸者蒸養六腑故变則氣上蒸則體熱蓋小兒初生形體雖具臟腑氣血尚未成就而精神志意魂魄俱

未生金故三十二日一变六十四日一蒸凡遇一变即覺性情有異於前三十二日而一变者以人有三十二齒相應也人有三百六十五骨內除手足中四十五碎骨外則只存三百二十數自生下一日則主十股十日即百股三十二日則三百二十股為一变其骨之餘氣自腦分入齦中而為齒故以三十二齒為應期三十二日為一变六十四日也二变為一蒸一变生癸水二变一蒸生壬水三变生丁火四变二蒸生丙火五变生乙木六变三蒸生甲木七变生辛金八变四蒸生庚金九变生己土十变五蒸生戊土此以天一生水地二生火天三生木地四生金天五生土自下而上之蒸也。又以東方甲乙木為首之蒸一变册二变膽三変心四変小腸五変脾六変胃七変肺八変大腸九変腎十変膀胱此子母相生所以相継之変也其心胞絡三焦二經倶無形狀故不変。又以素問春應木以肝為首則一変肝二変肺三変心四変脾五変腎此夫妻相克所以相剋之変也大抵五行相生順之変也

計三百二十日則十変五蒸之期足復有三大蒸之期每期六十四日依前数又一百九十二日則三大蒸之期足與前共五百拾弐日変蒸之期始畢前十変五蒸足此應天地之数以生成之乃生志意能言語知喜怒故夭始全也後一大蒸足乃長其經脈手足故手受血而能持物足受血而能行立二大蒸足則言語意志有異於前三大蒸足

則胠學語倚立扶步胠食血脉筋骨皆牢錦囊於三大蒸後又加一蒸六十四

日与前至共五百七十六日變蒸始足

別症

禀氣盛者則暗合而先外症禀氣弱者乃有蒸病輕則發熱微汗似驚五日乃觧重則壯熱脉乱而數或吐或汗或煩啼燥渴七八日乃觧見症則上唇中心有一點白是也白點如魚目

其候自生下三十二日生腎臟氣主身熱而耳骫冷唇起白泡六十四日生膀胱腑氣主寒熱相發而頻噴嚏哯乳多嗔上唇微腫

九十六日生心臓氣主体熱汗出畏恐虚驚一百二十八日
生小腸腑氣主渾身壯熱一百六十日生肝臓氣主掌骨成
而學匍匐肝藏魄而喜笑一百九十二日生胆腑氣主情昏
神倦眼閉不開而睛赤二百二十四日生肺臓氣主情思悃
惶而㤟多哭二百五十六日生大腸腑氣主微利腸鳴嚕熱
而汗二百八十八日生脾臓氣主身熱吐瀉三百二十日生
胃腑氣主不食腹痛吐乳微汗以上該三百二十日十变五
蒸数足又一百九十二日生三大蒸後主唇口乾燥咳嗽喘

急悶乱哽氣腹疼身體骨節皆痛或目上視時多驚悸
夭要变蒸之候　白睛微赤輕則身熱有汗而微驚與耳尻
冷重則壯熱或汗或不汗脉乱不食而嘔𠲜如身與耳尻皆
熱則又兼犯他症也
其变兼蒸者必上唇微腫如卧蚕類身体壯熱頭額顱熱或
乍熱乍凉唇口鼻乾哽氣吐逆而脉乱汗出或不汗不食時
驚多啼哯乳若有不驚不熱无他苦者是胎受氣壯寔而暗变也

治法

凡視芽兒之病須審変蒸之期當此誤投藥石蒸長生氣全
消故変期七日之内有病但數呵其顖門勿輕服藥若不汗
而熱宜微發其汗若吐哯微止之不可妄治者

處方

一治小兒変蒸發熱咳嗽痰涎鼻塞声重宜

惺惺散

人參　白术　茯苓　炙草

白芍　花粉　桔梗各五細辛半一ㄐ

右爲粗末每服二ㄅ姜一片蒲荷一葉水煎服

凡治此平和者微表之寔熱者微利之用紫霜凡九四黑子散十五柴胡散一五有寒無熱并吐瀉不乳多啼者當歸散二五調氣散三五

景岳云雖然兒胎月足離懷氣質雖未成寔而臟腑已皆完備百骸齊到一息不停豈有三十二日一變之理乎所見所治凡屬違和則不因外感必以內傷未聞有無因而病者也如變烝之候不可妄治惟宜

平和飲子

茯苓一ㇷ半　人參　甘草各五分　升麻二分

稟弱者加白朮ㇷ六　水煎服吐瀉不乳多啼者和氣散

和氣散

木香　香附　厚朴　人參　陳皮

藿香　甘草各等分　加姜棗煎服

宿乳者紫霜凡九四　痰熱者惺惺散九六　骨烝心煩啼叫者宜

柴胡飲

柴胡　人參　麥冬　炙草各二刀

胆草　防風各一分　水煎服有寒無熱者宜

當歸湯

當歸四分　木香　辣桂　人參

甘草各二分　姜棗煎服

烝熱甚者紫陽黑散五四　積寒熱如瘧者梨漿飲見發熱門

附靈樞論

靈樞曰人生十歲五臟已定血氣已通其氣在下故好走二

十歲血氣始盛肌肉方長故好趨三十歲五臟大定肌肉堅固血脉盛滿故好步四十歲五臟六腑十二經脉皆大盛以平定腠理始踈榮花頹落髮頗班白平盛不搖故好坐五十歲肝氣始衰肝葉始薄胆汁始減目始不明六十歲心氣始衰善憂悲血氣懈惰故好臥七十歲脾氣虛皮膚枯八十歲肺氣衰魄離故言善誤九十歲腎氣焦四臟經脉空虛百歲五臟皆虛神氣皆去形骸獨居而終矣

解顱

審梡

觧顱者頭縫開解而顱不合也書曰母虛羸瘦丈虛觧顱是由稟氣不足先天腎元大虧腎主骨髓腎虧則腦氣不足故顱解開然人無腦髓猶樹無根不過千日必成廢人

别症

有以父精不足則觧顱眼多白睛母血虛熱多則多愁少喜目白睛多面皖白色若成於病者尤危亦有因懐胎五月忽被大風大雨雷電驚胎以致顱骨解開者

處方

宜以服地黃丸六百 八 外用南星白歛爲末醋調攤帛上貼之

或麟頭骨燒灰油調敷縫中外作頭布遮護其父母宜服腎

氣丸一百 虎潛丸五六 俾精血充足後育子女無是患也

調元散治稟弱顱開肌肉瘦削齒語行遲

山藥 人參 茯苓 茯神 白朮

白芍 當歸 黃芪 熟地各五分

川芎 甘草各三分 石菖蒲四分

姜棗煎服

人參地黃丸 治腎氣不足腎主骨髓腦為髓海腎氣不足故顱顖開

人參二 熟地四 鹿茸 山藥

茯苓 牡丹 山茱各三

右為末蜜丸芡實大參湯調化食遠服

莊氏方 治解顱

山茵陳 車前子 百合各五

右為末烏牛乳塗調足心及縫開處帛裹三日一換

又方

驢頭骨不拘多少燒灰研細以青油調傳縫中

又方

狗頭骨炙黄為末鷄子青調塗之

顖腫

審機

脾主饑肉若乳哺不常饑飽無度或寒或熱乘於脾家致使臟腑不調其氣上衝為之填脹

別症

其候顖門腫起突而高如物堆垜毛髮短黃骨蒸自汗更有風熱傷肝木鬱思達所以令腫者更有肺熱生風肺主皮毛亦令顖腫毛焦者更有胎中受熱所致者更有外因覆訃過燰者陽氣不得外越亦令赤腫寒氣上衝而腫者牢靳坚硬熱氣上衝而腫者柔軟紅色

處方

其治法寒者温之熱者涼之外用封顖散五七可也如肝盛

風熱交攻顖填突者瀉青丸三九

全生湯治感熱顖门忽腫

天麻　蟬蛻　防風　姜活

遠志各五分　甘草一分　川芎　桔梗各四分

牛旁三分　加灯心水煎服

顖陷

别症

一顖陷者有因父精有損母血虛衰禀元不足是以形容

枯瘦陰陽兩虧先時温壯而顖陷者有因臟腑有熱渴飲水漿致成瀉痢久則氣血虛弱不能上充髓腦故下陷如坑此乃胃虛脾弱之極有因畜熱不除漸至身羸髮落脚縮手拳皮焦鶴膝血絶筋衰而顖陷者

治法

一脾胃虛極陷成坑者治宜急扶元本若與枕骨並陷者百難救一蓋枕陷尤重於顖陷不獨小兒也凡耳後方圓一寸皆屬於腎陷則腎元敗矣宜各因症以調治之

處方

要寧湯（治生瀉後感寒顖陷）

人參（五分）　附子（三分）　木通　茯苓（各七分）

升麻（煨三分）　川芎　棗仁（各四分）　炙草（一分）

姜水煎服

烏附膏（治顖陷）

綿川烏（生用）　雄黄（二川）　附子（生用二川）

右為末用生葱連根葉打成膏空心貼顖上

又方用黄狗頭骨燒灰爲末調塗如前治顱解法

天柱骨倒

審機

一頸骨而称天柱者謂其頭以象天名曰元首承天之重故曰天柱也天柱者骨所立而筋所束也肝腎之所屬諸陽之所達誠緊要重大之部位一至骨倒天象已危豈小故耶

别症

有小皃体肥容壯不為瘦悴熹知形体過肥中氣愈弱是盛

於外而歉於内也忽眩項軟傾倒者此名下亶皆因肝腎氣虚客邪侵入風府轉於筋骨肝主筋腎主骨肝腎旣虚筋骨俱弱項垂旡力名天柱倒此総係元陽大敗之惡症而其因有三一因吐瀉日从元陽衰乏者二因肝経伏熱者三因傷寒失表壅而熱甚筋熱則舒弛而不收者大抵五軟五硬多由先天而天柱骨倒根乎先天而变生於後天也

治法

此係極雄調理宜各隨候加治因於吐瀉者此元陽虚危之

痓惟急補胃氣以挽救之因於伏熱宜輕削涼肝因𤈦傷
食失表風邪入肝筋縱者或肝胆伏熱筋絡舒弛者尚可
球風清熱仍滋肝腎為主肝腎之本不拔筋骨得力而或
有起勢也

處方　生筋散 治筋軟先力天柱骨倒

木鱉子 六个　草麻子 六十个並去殼

研細先抱頭起摩項上令熱以津調塗之

一方貼項軟

附子去皮臍二个天南星去臍二个為末同薑汁調攤貼患處

五加皮散治項軟行遲

五加皮為末酒調塗頭項上再用酒調服

虎骨凡亦治脚軟見行遲门

龜胸

審機

龜胸者多得於姙婦多食五辛炙煿淹臟致傷或夏月煩燥熱乳宿乳與兒蓋肺氣最清為諸臟之華蓋水氣泛溢肺

為之浮曰火滯痰則生風熱一觸諸辛肺氣昏乱

別症

此肺経受熱也行動喘乏但遇風寒多食則痰嗽氣急喘滿肢体瘦悴唇紅面赤溏泄𦙶熱由此而成痈由痈而成龜胸矣則胸高脹滿形如覆掌如藥後而復作傳变目睛直視痰涎壅上或發搐者雄治

處方

火而不治將成痈癆之疾宜百合冊主之

大黄三分　天門　杏仁　・百合

木通　桑白皮　甜葶藶　石羔各五分

右爲末煉蜜凡菉豆大每服十五凡食後臨卧水吞下

亀背

審機

亀背者多因未滿半週强令早坐失訃背脊以致客風吹

撲傳入於髓寒則体瘦故傳變成斯也

別症

五臟皆繫於背凡五臟過受而成五痱火則虫食脊髓背骨似折高露如亀矣書曰腮腫痛逐盛脊高力已衰胃先生氣骨先堅長故為悪症

處方

治宜灸肺俞膈俞俞𤷍粟米大𠬛三五壮妆功内服

松蘗冊

松花　枳壳　防風　独活各一𦙶

麻黄　前胡　大黄　桂心各五〃

為末煉蜜凡如黍米大每服十凡或二十凡粥飲下量皃大小加減用之外以烏龜點脊骨縫中效

五軟方書有五冷五縮五反五緊五腨五脹五盲總皆惡候然亦不外遲軟硬之內故刪之

審機

五軟者胎怯也有因父精不足母血衰少而得者有因母之血海既冷用藥強補而孕者有因受胎母多疾病或年邁而有子者或日月不足而生者或服墮胎之剤不去而耗傷真氣者是以生下怯弱不耐寒暑少為六淫侵犯使

頭項軟手足軟身軟口軟肌肉軟名為五軟

別症

頭項軟者頭不能正項傾倒也肝主筋腎主骨肝腎虛而致病也有因吐瀉久弱者有因傷寒不及發表者有因肝胆伏熱面紅唇紅肌熱者

手足軟者乃四肢无力而手垂懶於握物脚軟細小五歲而不能行此肝弱筋縮而手不舒骨髓不滿氣血不充而足不行身軟者陽虛髓怯六淫易攻遍体羸弱

肌肉軟者肉少皮寬肌肉不長飲食不為皮膚

口軟者虛舌出口也因在胎時卒有驚怖乘於胞絡致舌

下不強

治法

一小兒禀受腎氣不足而有五軟及五遲解顱鶴膝之候當以

六味凡加鹿茸補之為聖藥昧者謂小兒先補腎法孰知

諸臟有虛有寔而腎臟有虛无寔况小兒之陰氣未成即

腎虛之日也或父母多慾而所禀復虧更腎虧之日也陰

氣不足而不知補之則陰絕而孤陽亦滅矣何謂先可補耶
先師曰小兒因於先天不足致病恒多則先天之不足不特以
陰虛爲定論每以六味八味凡以救小兒禀受陰虛陽虛
者全活甚衆豈只陰氣不足而已哉凡小兒面青恍白其
出痘必主内潰不出此必禀受元陽不足也以服八味凡
方可挽回若進肥兒凡反速其斃矣

痘方

如有吐瀉火弱者宜補脾胃傷寒不表者難治故頭項軟

乃爲雉症、如頭項軟、因於肝胆伏熱、面唇紅、肌熱者宜

羊角散

羚羊角　白茯苓　羗脛骨　酸棗仁

桂心　熟地　防風　甘草各一分

右爲末、每一刃、酒調服、或用

涼肝凡兼治後痘目赤腫痛

防風一三分　人參　赤茯苓各一半　黄芩

茺蔚子　黒參　大黄　知母各一錢

右為末蜜凡菉豆大量兒大小食後清茶服

如有風氣入肝筋（舒）頭項軟者宜用

天柱凡

蛇含石一塊火煅醋碎七次　鬱金　射香各少許

右為末飯凡竜眼大每一凡荆芥煎湯或金銀薄荷煎

湯化下又宜通用

徤骨散治小患痒疾体虚不食及諸病後天柱骨倒

殭蚕炒為末每三五分薄荷酒調服外用生筋散貼之

與貼項方竝見天柱骨倒門　俱妙如手軟者用

薏苡凡

薏苡　當歸　酸棗　防風

羌活各一月　為末蜜凡芡寔大每一凡至二凡射香

荆芥煎湯化下如足軟者用腎氣凡一百加牛膝五加

皮鹿茸五六歲不能行者用鶴節凡亦用腎氣凡一百

羊角凡

羚羊角　虎脛骨　酸棗仁　生地

白茯苓恪五　桂心　防風　當歸
黃芪恪二半　為末蜜丸皂子大每一丸或三丸溫酒化
下如三歲不能行者用
五加皮両一　牛膝　木瓜恪五
為末每二刂米飲入酒少許調服
如有脚指踡縮无力不能展伸者用
海桐散
海桐皮　牡丹皮　當歸・熟地

牛膝各二分　山茱　補骨脂各一分　姜煎服

如身軟肉軟宜四君子湯百八儿　紧皮凡五儿　遍身筋軟者鹿

茸四斤凡五九　加青塩當歸各等分

如口軟者四五歲猶不䏿言宜用

菖蒲凡

石菖蒲　人參　遠志　麥門

川芎　當歸各二　乳香　硃砂各一

右為末蜜凡麻子大每十凡米飲下若諸病後不䏿言

語者鷄頭凡

鷄頭凡

雄鷄頭一个　鳴蟬三个炙焦　俱　大黄　川芎

茾草各一脐　人参　木通各五リ　當歸

黄芪　遠志　麥門各三分

右為末蜜凡小豆大每五凡空心米飲下廾服取效

五硬

審机

一経曰脾主四肢又曰脾主諸陰手足冷而硬者独陰先
陽之兆也
五硬者仰頭取氣難以動揺氣壅疼痛連胸膈間手心
脚心氷冷而硬此陽氣不營於四末也
處方
一最為難治者乃肚筋青急木乘土位也急用六君子湯
三百一加炮姜肉桂升柴補脾平肝若面青而小腹硬者性
命難保矣如頭項四肢强直氷冷者乃受風邪也宜小續命

湯十六烏藥順氣散一六主之
如腹大骨痛不寬者五積散十百加烏藥姜蚕消積和氣則
愈若心腹俱硬面青者死

齒遲

審机

經曰男子八歲齒更髮長男子為少陽之氣其数當七而
反八者因陰畜於中故以少陰合之少陰者腎經也腎主
骨骨氣寔故八月而生齒八歲而齔女子七歲齒更髮長

女子為少陰之氣而属八令以少陽七数奇之者亦以陽蓄於内故至少陽之数内蓄之氣始動腎氣盛故七月而生歯七歳而齔如有歯遲者禀受腎氣不足而髓不強歯為骨餘骨為腎餘骨之所絡而為髓髓不足故不能上冲而遲也

別症

更有二三歳後或乳食互進或醉後房労乳児致成腎疳啼[redacted]時滿口皆血名曰宣露或歯黒碎疼名曰崩砂久則穢甚牙根俱落名曰腐齦亦有風熱相搏忿怒煩労其歯痛

腫者是手陽明足太陽之脉繫於齒故牙根腫痛名曰𪙊

齒有喜嗜甘肥而生虫即名虫齒若跌撲所傷者或急痱

所墜者則久落難生矣

處方

芎黄散治齒疾

川芎四分　山藥　當歸　芍藥

甘草各三分　熟地一錢

為末白湯調服於食後將乾藥末搽牙根

固齒膏治齒根搖動

何首烏　　生地　　牛必各等分　旱蓮草取汁

右煎百沸将成膏入食塩在内每日取用漱口

一方治齒落不生

黑豆三十粒将牛糞煨煨令煙尽入射香少許為末先

将挑破不出齒處令出血方塗上

外用　　白芍

如齒遲乃稟氣不足腎氣不充宜腎氣凡一百或十全大補湯

當歸　川芎　山藥　沉香

甘草等分　為末擣蜜覌上

又方

雄鼠糞二粒　十每日用一粒揩蜜覌上至二十一日當生

髮迟

審機

一足少陰之經其華在髮髮迟者胎元不足血氣有虧

不能上榮而髮病也

治法

其治宜外用塗擦以治其標內進滋補以救本可也

屢方

香粉膏

香薷一兩　胡粉伍錢　猪胆一個

水煎香薷三分入胡粉猪胆調匀塗頭上一日三次

如髮遲乃氣血不卧上榮宜用

蓰蓉凡

肉蓯蓉　當歸　川芎　白芍

熟地各等分　胡粉減半

為末蜜凡麥米大每十凡黑豆煎服仍磨化抹頭上

語遲与口軟條參看

審机

一夫言為心之音有由姙娠卒被驚恐內動於胎故令心氣不足舌本不通而不能言者亦有因其父腎氣耗損而禀清陽之氣不能上升者而有是症

別症

一如面黄肌弱嗜飲便瀉手足心熱髮枯若䟽者是病在脾而兼痒也如顴赤多驚五心厥熱煩啼不時者是病在心也如面青多筋目急髮逆口穢肢細是病在肝也如白睛多面㿠白肌慄毛焦時嗽飱泄者是病在肺也如肢軟色黧䔍遲睛白氣短神薄者病在腎也至於大病後而失音不語非腎虛不能上接清陽即清陽之氣自病也

處方

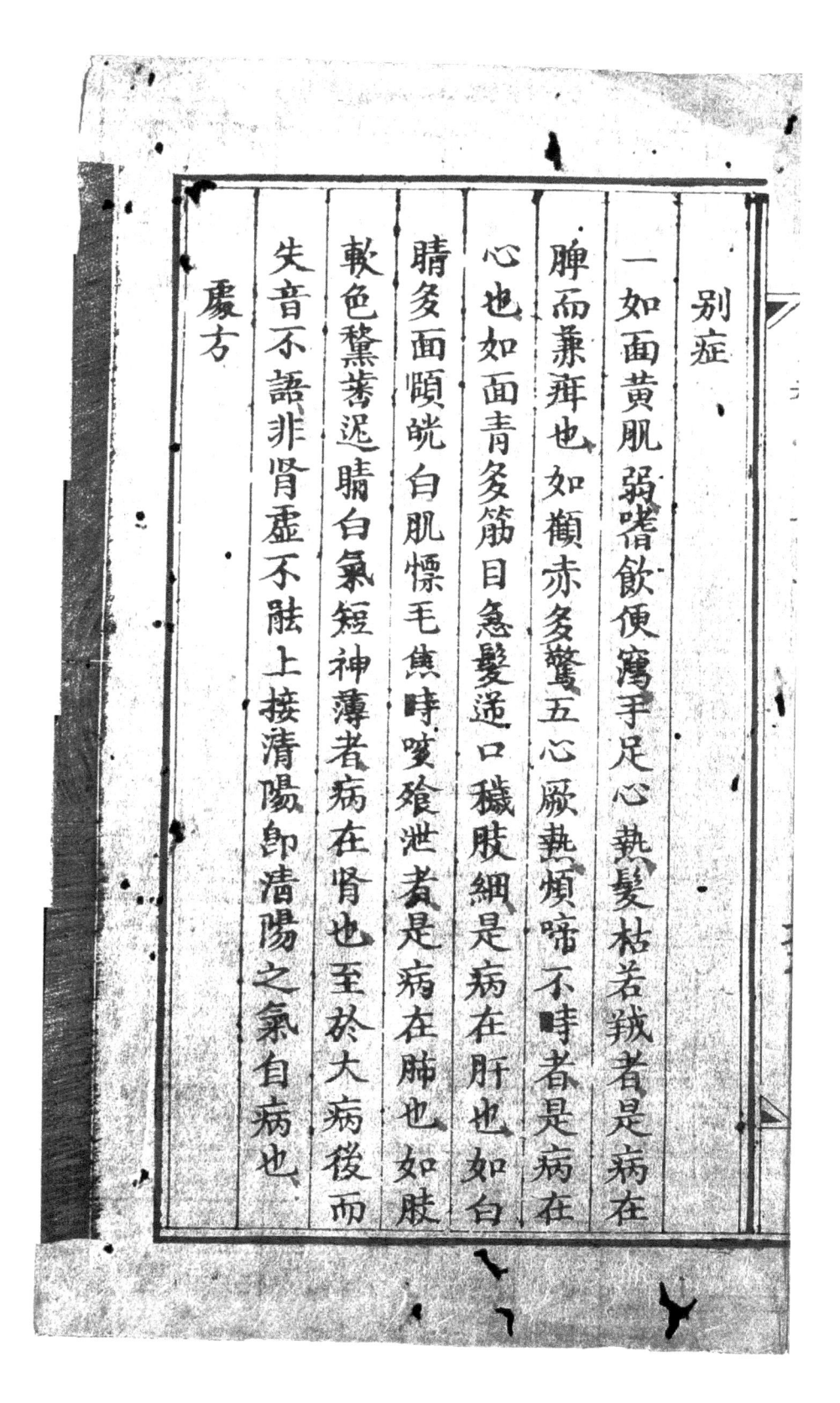

補心菖蒲丸 治心症

人參伍　石菖蒲仁　丹參　赤石脂倍一

本甘天冬　遠志　麥冬倍三

同為末蜜丸黍米大米飲食遠服三、丸

子下方有當歸　乳香　川芎 [illegible]

菖蒲散 治[illegible]

石菖蒲一寸九節者佳　遠志　桂心　[illegible]參

黃連 [illegible] 棗仁倍 [illegible] 為丸棗湯下 [illegible] 各經

（此頁據中國國家圖書館藏本配補）

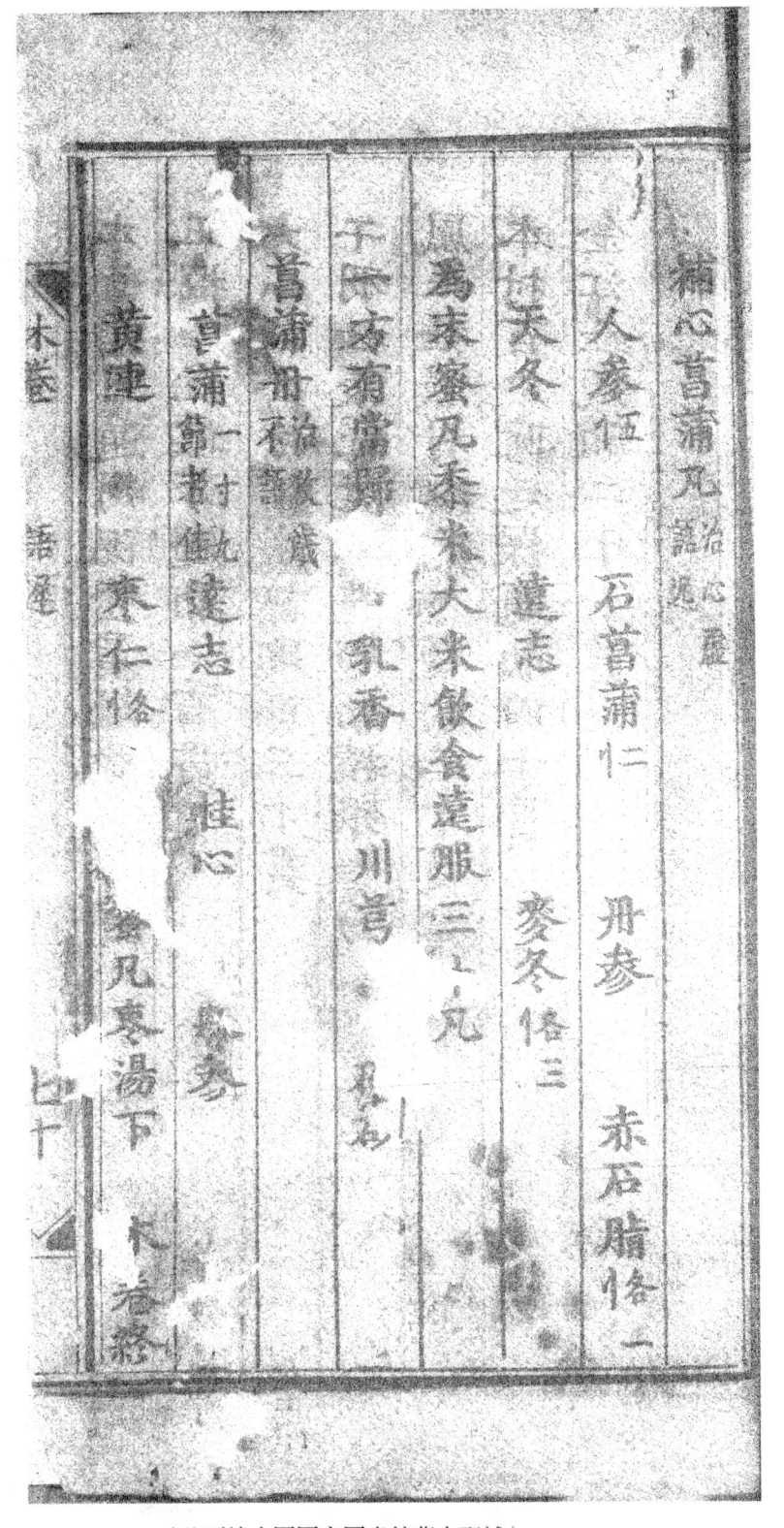

本省藩司通判阮登霜題助[illegible]貫

正掛知阮進芳題助一百貫

大山社秀才[redacted]謂題助三十貫

干羽社張髭阮它題助精銀一笏

鳳毛社瀑村雲翼阮題助三十貫

本村百户阮廷採題助四十貫

金江社題助二十七貫

（此頁據中國國家圖書館藏本配補）

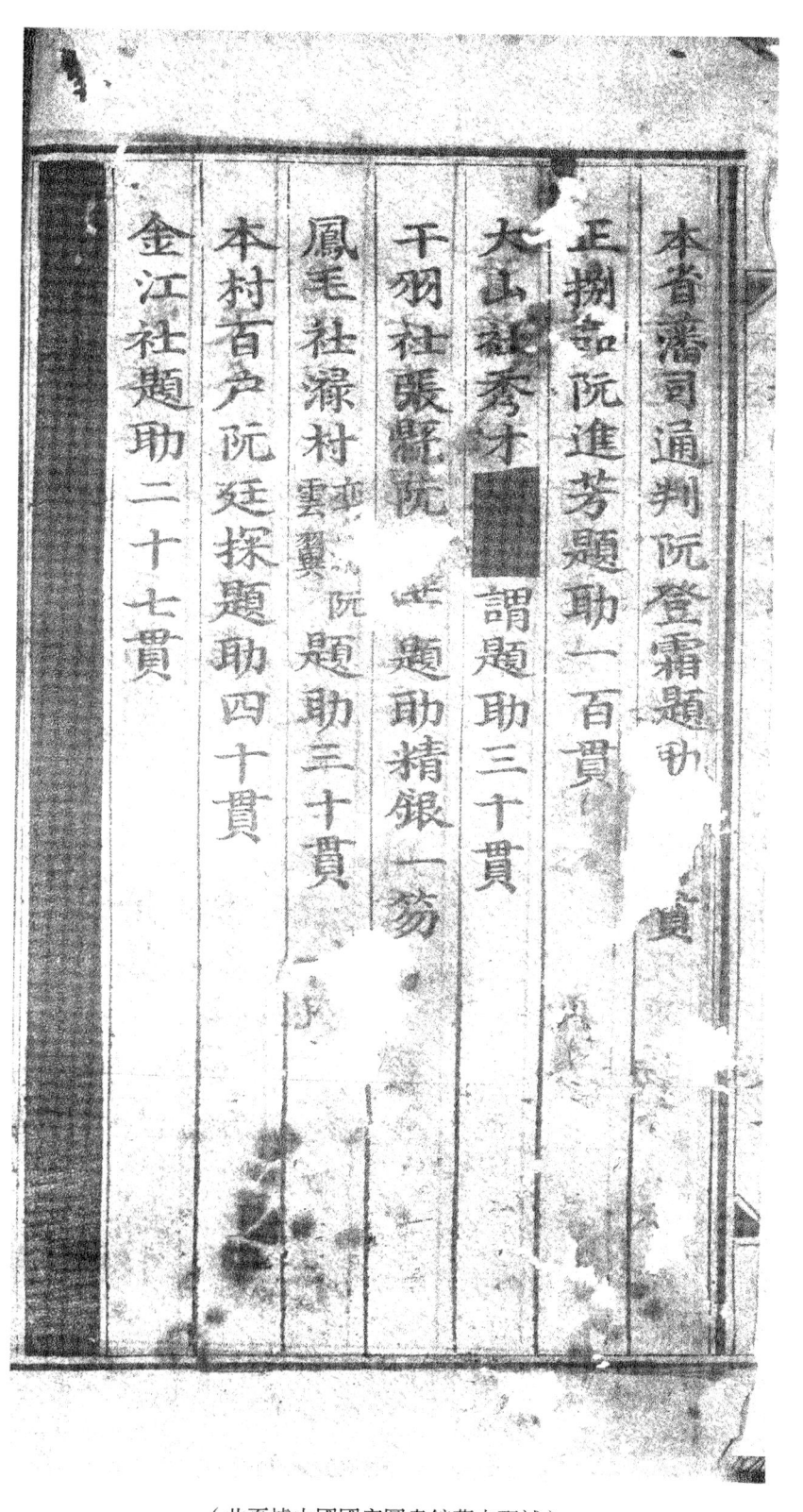

R.1096

新鐫海上医宗心領全帙卷之三十一

上卷目次

皇朝嗣德萬萬年歲次庚辰三十三年正月吉日刊

板留同人寺

幼幼須知上卷

海上懶翁黎氏纂輯

後學唐鄧武春軒奉較

○失聲（症別）一卒然失聲者有因寒氣客於會厭或風熱聚於心胸（舌為心苗）更有瘢厥（喉中声斷）食厥（清氣不升）復中惡或客忤或尸厥或齁𪖼而然者至若驚風御沫頭赤額青目直睛白及久病後而卒然不語者俱為不治

○處方　菖蒲湯（治中惡驚播失声）（一方加薄荷）　石菖蒲　天麻　全蝎

殭蠶　附子製　羗活　人參　炙草　遠志

荊芥　桔梗各等分　水煎服

○竹瀝膏治牙關緊急失音不語　竹瀝　生地取汁　白蜜各半合同拌勻　桂官為末

菖蒲各一錢為末　右拌勻漫火熬成膏取梨汁化下

○吉氏方治病後失声　棗仁一錢炒　茯苓五分　硃砂二錢為末　細凡人參湯下

行遲與足軟條參看　審機　一小兒三百六十日則膝骨成乃能行步也

有數歲不能行者稟受腎元不足也夫骨屬腎、腎憑髓、髓所養骨

氣有虧則不能充髓滿骨、故軟弱不能行也

別症　其症主於腎虛然復有重幃深閉不見風日或終日懷抱、筋骨不舒、是以難行者又有離胎多病肝腎俱虛、肝虛則筋弱、腎虛則骨柔、而不能行者、復有過食甘肥有傷脾胃、乃絶化源、致成痺症、氣血日憊而不行者、宜各隨症調治亦有可復之天

處方　虎骨凡 治行遲　虎脛骨 酥油炙　肉桂 去皮　白茯苓
防風　當歸　乾地黃　酸棗仁　牛膝
川芎 各五ㄱ 爲末蜜凡黍米大每三十凡木瓜湯下食前服
一方加羚羊角黃芪　○　五加皮散　五加皮　川牛膝　木瓜 各等分

為末米飲下　鶴膝

○審機　小兒鶴膝、因禀受腎虛氣血不充、以致肌肉瘦削形如鶴膝

別症　其症外色不變、膝内作痛伸屈艱難

治法　若色赤掀腫而作膿者、為外因可治、若腫硬色白不作膿者、是屬本性難療

處方　屬外因者、荊防為主、佐以益氣養榮、屬本性者、以六味加茸、補其精血、仍須調補脾胃、以助生化之源

痹病、附眼痹、一痹者甘也、脾喜甘、凡味之甘者、皆屬于脾

從病從疳、故曰疳、凡二十歲以下曰疳、二十歲以上曰癆、蓋腎氣血虛損、脾胃津液乾涸、同出而異名也、有因幼少乳食、腸胃未充、食物太早、耗傷真氣而成者、有因肥甘肆進、飲食過飧、積滯日久、面黃肌削而成者、有因乳母寒熱不調、或喜怒房勞之後、乳哺而成者、有因病後失調、元氣未復而成者、又如身體雖肥潤、而內氣如火者、善饑善渴、小便赤色、此為骨蒸、縱此朝涼夜熱、而即成疳、又如平時小便變色、或黃赤惡臭、淋閉溺難、渾濁如米泔者、此為渡白、於此失治則陰陽不分為瀉為痢濕熱不去為瘧為淋而亦成癖又有痧瘟雜症妄施吐下内亡津液而成者要皆脾胃虚弱血氣枯澁生積生熱生痰乘臟氣之虚傳入為癖故曰癖者乾也若患潮熱妄用硝黄利之患癖病誤以巴豆硼砂下之亦皆成癖也

别症　身熱常熱形容黄瘦肚腹膨脹小便如泔毛髮黄纖臉多白印惡心欲吐飲食不為肌膚頭面多生瘡疥此癖之大槩有如是者皆脾之症也癖症初患中滿久則結癖初患中熱久則外乾令人肌膚黄瘦或耳鼻生瘡或遍身生

癥、愛喫泥土、炭、米、鹹酸雜菓食不消化、小便不清、大便或利大槩熱疳多見外症、冷疳多見内症、疳在内者目腫腹脹瀉痢青白、体漸瘦弱、疳在外者鼻下赤爛、頻揉鼻耳、或肢体生瘡、其症雖多、要不出於五臟也、　一惡食滑瀉、脚心不知痛痒、乳食直下、牙齦黑爛、頭項軟倒、舌白喘促、四肢厥冷、乾嘔寒噎、下痢脹腫、刺痛氣短、耳焦肩聳、面色如銀、肚硬如石、皮發紫瘡、鶴膝解顱、糞門如筒、肌肉青黑、口舌臭爛、口吐黑血、吐利蛔虫、流涎臭穢者、並不治、

治法　凡疳者乾也瘦瘁少血也在小兒為五疳在大人為五癆既云為疳又云為癆豈非精血敗竭之症乎書云俱從熱治多用清凉雖此症真熱者固多而元氣既敗則假熱者亦多也大抵氣血俱損又非大補者不可夫陰虛假熱脾敗腎虧又非温補不可要在臨症酌宜務以虛損治勞之法參用方為盡善　積為疳母脾虛而致治積者皆宜調補胃氣為主且云疳亦癆也則有大肥兒凡小肥兒凡甚為可畏

薛氏曰疳病或以哺養太早或嗜肥甘或服峻厲之藥重亡

津液，虛火熾盛，或因稟賦薄弱，或乳母厚味七情致之。並宜調治其內，切不可過用寒涼。稍覺飽煖內煩不安，虛者必須扶胃而兼消導，實則必先疏利而後和胃，不可因循，以致積久成疳。大病後，脾胃虛損，不能傳化乳食，內亡津液，虛火妄動而成者，當顧脾胃為主，而早為施治，則不致變敗症也。間有熱者亦虛熱也，故治熱不可妄解過涼，治虛者不可峻溫驟補。如熱滿未甚，便施蘆薈、胡連、龍胆、苦參，傷胃反致敗症。

一大要：治寒以溫，治熱以涼，此用藥之常法，殊不知疳之受病皆虛所致，即熱者亦虛中之熱，寒者亦虛中之寒，積者亦虛中之積。故治積不可峻溫，治熱不可過凉。雖積者疳之母，而治疳先於去積，然遇極虛者而峻攻之，則積未去而疳愈危矣。故壯者先去積而後扶胃氣，衰者先扶胃氣而後利之。書曰：壯人無積，虛則有之。可見虛爲積之本，積反爲虛之標也。

處方

論臟腑有五疳。脾先受病，傳于他臟，故有五疳之名。成疳又有五候之別，風疳、驚疳、食疳、氣疳、急疳。五候之外，更有二十二種名目，冷疳、肥熱疳、渴疳、乾疳、嚀疳、瀬疳、附入尻疳、脊疳、腦疳、無辜疳、丁奚疳、哺露疳、熱疳、走馬疳、附入腎疳、蛔疳是也。

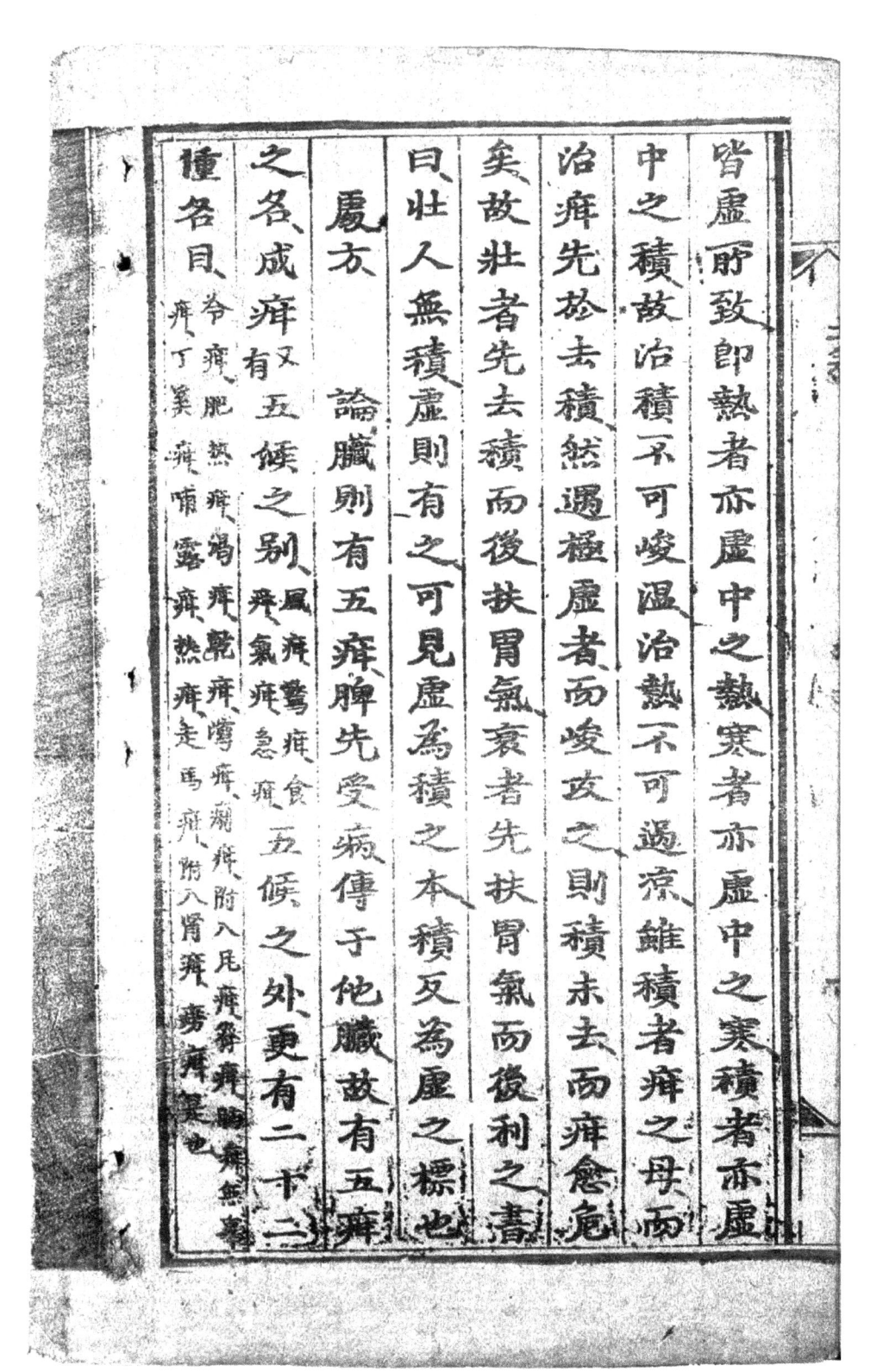

風痹肝臟受熱所致（亦名肝痹）如春日眼目多痛吐瀉頻頻痹出瀉痢白膜遮睛筋青腦熱是也甚至肉削骨露眼成雀盲左脇結硬頻頻吐涎眼角有黑氣者死（出錦囊）

搖頭揉目白膜縵眼挼摩多淚面有黑色渾身瘡癬毛焦髮豎因感風而成也（出諸方賓）

凡此（亦名筋痹）白膜遮睛或瀉血而瘦宜用地黃丸（百八六）以生胃若鼻外生瘡眼目赤爛肢體似癬兩耳前後頸側缺盆兩腋結核或小腹內股於莖陰囊睪丸腫潰小便不調或出白津或咬指甲搖頭側目白膜遮睛羞

明畏日，肚大青筋，口乾下血，此肝經内外疳也，宜大用地黄蘆薈丸（二六二）主之。出景岳 如搖頭揉目，白膜遮睛，或赤腫湲爛，弦痛癢雀目，骨瘠甚至經月眼合，亦名眼疳 流汗，合面而卧，肉色青黄，髮上筋青，腦熱，羸瘦，蓋因胎風，更加乳食不調，肝臟受熱，或乳母外感内傷，邪氣未散，遽與乳兒所飲而致，宜生熟地黄丸（三三）加當歸，或黄連肥兒丸（六四）、山梔煎湯下。出醫學

附 眼疳 小兒甘肥恣食，寒暑不適，生冷油膩，傷脾，糖麵炙煿助火，因循積漸，釀成疳病，渴而易飢，善食而瘦，髮豎下

泄腹脹鼻乾火而不治脾弱肝強化源既絶腎陰自虧木失所養肝火自燎其竅遂成目盲多生翳膜睫閉不開腹濕如糊乃中州弱而清陽不升肝火盛而濁陰不降所致治當升清降濁以白术人參先補脾胃為君柴胡枳殼疎肝抑氣為臣（蒼术、茯苓、澤瀉、）滲濕降濁為佐（羌活、蔓荊、升麻、川芎、）薄荷諸風藥既散風火且佐上達之性以為使痹與目疾咸獲效矣（出錦囊）

如壯熱體瘦腸疼便青一切肝症宜用（出医學）

風痹凡　青黛　黃連　天麻　五靈脂

夜明砂　川芎　蘆薈（名二ノ）　龍胆草　防風

蟬蛻（名ノ半）　全蝎（二枚）　乾蟾頭（三十）　右為末猪胆浸糕丸麻子大每十丸薄荷煎湯下如脇硬脹魚見累氣者不治

驚癖（亦名心癖）心臟受熱所致，如壯熱臉赤，唇紅，舌瘡眼赤，五心皆熱，胸膈煩悶，盜汗頻渴，小便赤澁，口中舌燥是也。甚至熱消津液，飲水不已，食則驚啼，舌上黑暗，形容枯槁者死。（出錦囊）

渾身壯熱，四肢無力，面黃臉赤，怕寒變燥，口鼻乾燥，因驚叢而成也。（出諸方書）凡面黃頰赤，身体壯熱，宜硃砂安神丸（百二）以治心。若口舌蝕爛，身体壯熱，腮唇赤色，或作腫痛，腹脇煩悶，或寒驚啼、熱作渴飲水、便赤盜汗、嚙齒虛驚、此心經內外疳也。宜安神丸二八之類主之。出景岳 如臉赤唇紅、口舌生瘡、胸膈煩悶、小便赤澁、五心皆熱、盜汗發渴、齒牙驚悸、原因心虛血弱、神不守舍、更加乳食不調、心臟積熱所致、宜茯神丸二六、輕者硃砂安神丸八一百三、大溫驚丸一百四 出醫學

食疳 脾臟受傷所致。又名脾疳、又名滌疳、又名肥疳、又名乳疳 如面黃臟熱、瀉下酸臭、減食喰泥、腹大腳細、吐逆中滿、水穀不化、睛黃眼腫、合面臥睡是也。甚至喫土不已、瀉痢頻頻、水穀難消、飲食惡進、面黃肌削、唇白腹高、人中平滿者死 出錦囊

食物難消、愛吃泥土、腹大青筋、頭髮希疎、喘急呵欠、無歡笑、啼痢多酸臭、因傷食而成也、出諸方書 凡體黃瘦削、皮膚乾澁、而有瘡疥、腹大嗜土、治痢宜四味肥兒丸、七三 以生土用五味異功散 或益黃散、若頭 生髮或生瘡癬、或髮成穗、或人中口吻赤爛、腹痛吐逆、乳食不化、口乾嗜土、瀉下酸臭、小便白濁、或合眼脊腫惡聞木音、此脾經內外疳也、治之宜用肥兒丸、凡下 出景岳思
凡黃瘦腹脹、氣促瀉臭、合瞳食減、吃泥土、由乳食傷而複傷、脾氣狹弱、或乳母肆食生冷肥膩、或酒飯後即令與乳、兒父

則變為乳癖、腹脇結塊、(名曰乳癖) 宜益黃散(百三六) 消乳食丸(大五)、或肥兒丸、(見下) 加義术陳皮青皮、(肚大青筋者小兒達丸見下出醫學)

(氣癖) 壅熱傷肺所致、(又名肺癖) 如秋日發熱惡寒、鼻下兩傍濕瘡赤癢、咳嗽不已、咽喉啞痛、毛焦氣脹、喘急多飢是也、甚至面如枯骨、咳逆氣促、瀉頻白沫、身上粟生瘢黑者死。(出錦囊)

多啼嗽逆、鼻項生瘡、骨骨變體、體瘦腸滑、四肢軟弱、面色帶白、瀉膿吐血、因傷風而成也。(出諸方書) 凡喘咳氣促、口鼻生瘡、宜人參清肺湯(六七) 以治臟、益氣湯(六八) 以生金、若鼻外生瘡咽喉

不利頸腫齒痛咳嗽寒熱皮膚皺錯欠伸少氣鼻痒出涕衄
血目黃小便頻數此肺經內外痒也宜用生地清肺飲九六 鼻
瘡蘭香散七 諸瘡白粉散七一 出景岳 凡鼻下兩傍瘡痒不痛或鼻
流汗臭內生瘜肉或汗所流處即成瘡名曰痒慝 不時咳嗽氣逆
寒熱噎紅泄瀉多嚏揉鼻咳嗽與痧症大同原因傷寒傷風
汗後勞復更加乳食不調以致肺氣受傷宜先服清肺湯見下
次服化䘌丸見下 其鼻常用熊胆泡湯小筆蘸洗俟前藥各進
數次服再用青黛當歸赤小豆瓜蒂地榆黃連蘆薈各等分

雄黄少許、為末、入鼻、以飲瘡疳啞不能發聲者、用黄連肥兒丸(六四十六粒)、蘇合香丸(百三十一粒)、硃砂、五靈脂各少許、為末、菖蒲煎湯乘熱調服、疳症鼻頭有瘡不著痂、漸遶耳、宜用白芨、輕粉(十三分)烏賊魚骨(三分)為末、先以漿水洗去、拭乾滲、或鼻下赤爛自揉者、用香蘭葉(二分燒灰)青銅(半分)輕粉少許、為末、乾滲之

疳症遍體生瘡不歇、乃疳蟲內耗精髓、外蝕皮膚、宜連肚丸(見下)飲下、仍參以川芎、生地、茯苓、茯神、與之調血清心、或用蘆薈丸、肥兒丸(並見下)、生犀散、選用間服、外以大腹皮、苦參、白芨煎湯

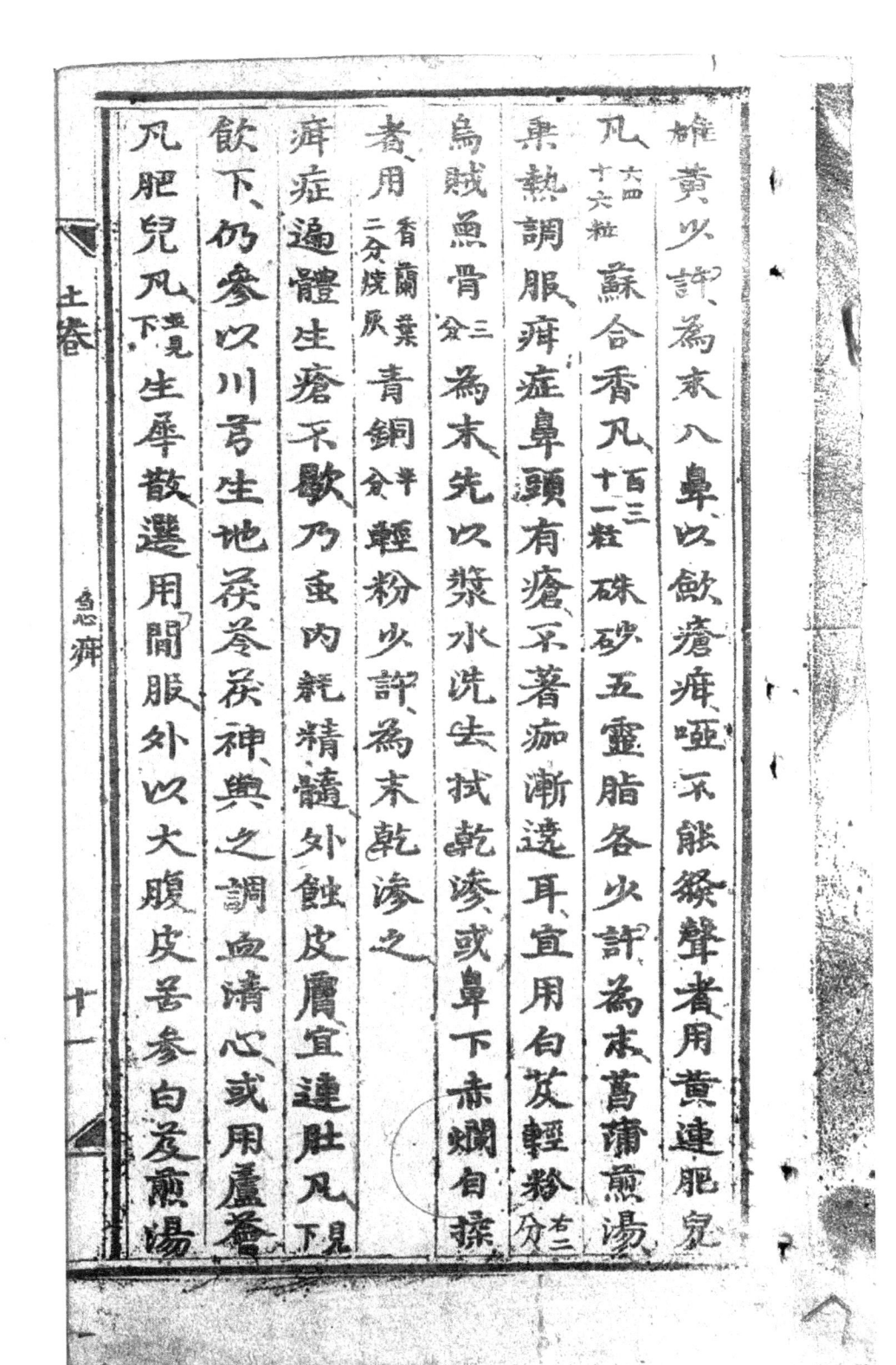

洗後却用訶子（帶皮燒灰）入射香輕粉（各少許）為末敷之（出醫學）

（急疳）腎臟久受傷損所致（又名骨疳腎疳）如内症則腸熱腹肚疼痛寒熱往來滑泄頻頻口臭乾渴耳內瘡膿外症則身体壯熱足冷如氷面黧爪黑瘡疥肌削齒斷口瘡（俗名走馬疳）蓋齒屬骨腎氣一虛則虛火壅於上焦故乃口臭（名曰臭息）繼此齒黑（名曰崩砂）更若齗爛（名曰潰槽）甚至牙爲脫落（名曰腐根）其根既腐病纔得瘥齒不可再如熱血迸出（名曰宣露）此乃急疳之候也甚至飲水好鹹小便細乳耳焦牙黑骨槁者死（出醫鑑）瀉痢兼作吐逆脫肛身體[illegible][illegible]

手足偏冷飲食不進夫病熱已急故以急名之五疳中惟急
疳爲難療以其胃水不足土来尅水也要而言之總起于脾
脾土一虛則不能生五臟之氣故傳變至於此大法惟健脾
消積殺虫而已出諸方書凡肢體瘦削變生瘡疥喜卧濕地宜地
黃丸百八六若瘦弱吐瀉手足冷遍寒熱往来滑泄腹痛口臭作
渴齒齦潰爛爪黑面虆鼻耳生瘡或耳出水或蝕自髮此腎
經内外疳也宜地黃丸百八六出景岳如脇熱臟削手足如氷爪黑面
虆身多瘡疥寒熱寺作甚者天柱骨倒或因痘後餘毒未淨

更加乳食不調甘味入脾而生虫狀似傷寒狐惑上蝕齒齦則口瘡出血臭氣俱宜腎氣丸一百加史君子川練肉出医学

附走馬疳與下齒病參看走馬疳者牙齒蝕爛屬腎胃虛受熱发上焱致口臭齒黑甚則齦爛牙宣宜敷搽牙散七二馬鳴散七三內服蟾蜍丸七四輕則牙齦腐爛唇吻腫痛可治若至牙齦蝕落顋頰透爛不治出景岳如齒齦潰爛齒黑脫落腮有腫者名走馬疳言陽明熱氣上奔如馬然下食腸胃則下痢肚爛即後疳痢外症肥熱臘削手足如冰不黑面黧身多瘡疥寒熱時

作、甚者天柱骨倒、宜腎氣丸一百一加史君子川練、外用蠲白散七五數之、或用白芷五分、馬牙硝一分、銅青五分、射香一字、為末乾敷牙角及擦齒上妙。出医學

冷症疳則多渴滯泄、好臥冷地、減食咳逆、目腫面黧、體軟唇堅、肚大筋青、眼膜羞明、身瘦肢冷是也。出錦囊

疳病久則目腫面黧、體瘦、煩渴多汗、腹脹滑瀉無度、或青或白或如臟者冷疳瘡、宜至聖丸、見後出医學

熱疳症則身體肥熱、一名肥熱疳焦渴有汗、酷喜飲菓、腹脹腸鳴、屎白瀉酸、多睡多嗽、善食灰土炭米等物、出錦囊

疳病初起、人未瘦怯、但臉赤口臭、唇焦煩渴、潮熱如火、大便

秘澁宜胡連丸（見後）若黄瘦雀目遇夜不見或生瘡者宜用五福化毒丹（一百）最妙（出醫學）（冷熱辨）二症交互非新非久不内不外因者宜消積和胃滋血調氣淡泊飲食久則自然堅牢宜如聖丸（見後）主之常服錢氏白朮散以生津液益脾來濕熱久則寒濕全在臨時會意　一外則卧地煩燥內則滑泄無厭臘肉日削飲食漸減是也（出諸方）（渴辨）此精液既耗臟腑乾枯日則燥渴不已（出錦囊）戀水不食乳夜則渴止乃胎稟得之也（出景岳）臟下宿有癖氣加之乳食不調肆食五辛炙煿酒麵以

致小兒心腹壅熱日則煩渴引飲乳食不進夜則渴止宜[illegible]
胆丸見下如飲水不止舌黑者死
乾疳乃五臟津液枯竭也
心疳舌乾多啼肝疳乾啼眼不轉睛脾疳齶口瘡眼口乾作
渴肺疳聲焦皮燥大便乾結腎疳身熱肢冷小便乾澁通用
連胆丸見下如五乾俱見身上粟生色瘢黑者必死出醫學
瀉疳毛乾唇白額上青紋肚脹腸鳴瀉下糟粕此中氣不足健
運失常忌用熱藥止之宜香蔻丸見下如滑瀉脫肛兜遥者死速出醫學
痢疳見有疳疾加之傷食停積宿滯水穀不聚及感冷熱不調

以致痢下五色及諸惡物裏急後重宜香砂丸（見下）如人中見平滿者死

腫辨　是因虛中有積故令肚腹緊脹脾又受濕故四肢頭面皆浮（出錦囊）此因虛中有積積毒與脾氣相併而虛浮宜退黃丸（七六）肥兒丸（見下）如脹甚者褐丸子（見下）

脹辨　乃腹皮緊者是也宜大異香散（七七）加五靈脂為末紫蘇煎湯下少吞紫霜丸（四九）

自然辨　起於久痢久瀉久熱久寒久吐久癍久嗽久血久淋而成也（出錦囊）

嗽辨　五心煩熱毛髮皮枯胸骨高起辰又咳嗽是也（出錦囊）

㖪辨　是因乳哺不調食肉太早

停留腸胃而爲虫，其候皺眉多啼，腹痛吐沫，肚脹青筋，唇口紫黑，腸頭作癢。然症類似脾疳。出錦囊　因飲乳粥食太早，甜膩化爲蛔虫，多啼吐沫，腹痛唇紫，腸頭及齒癢，蛔雖食虫，却不可動，上從口鼻出者難治。凡疳積久，莫不有虫，形狀不一，黃白赤者可醫，青黑者死。出錦囊

虫疳　或如髮縷，或如馬尾，出於頭項腹背之間，黃白赤者生，紫黑青者死。出錦囊

脊疳　乃虫食脊膂，身熱面黃，羸瘦煩痛，下痢，齒嚙，介甲，拍背如鼓鳴，脊骨如鋸齒，十指生瘡，其症似肝疳。出錦囊　諸症同前，又

有十指生瘡宜蘆薈丸見下出醫学　腦癖頭皮光急頭瘡如餅頭熱如火髮結如穗顖門腫高是因腦中素受風熱或難産或臨産多慾所致耳然症類似心癖出錦嚢　無辜因浣衣夜露被無辜落羽所汚小兒服之令身體發熱日漸黄瘦便痢膿血者是也心鑑曰其腦後項邊有核如彈按之轉動軟而不痛其間有虫如米粉如不速破而去之則虫隨熱氣流散遍體生瘡一入臟腑便痢膿血須以銀針刺破貼以膏藥可也出錦嚢　其衣用火烘之則無此患宜用月蟾丸見下出医学

疳丁奚　手足極細，項小骨高，尻削體瘦，腹大臍突，號哭胸陷，乃生穀癥，愛喫生米。丁者手足與項極小伶仃也，奚者腹大也。用肥兒丸（見下）、大蘆薈丸（八四）。

哺露疳　虛熱往來，頭骨分開，翻食吐虫，煩渴嘔噦，柴骨枯露。總因脾胃虛弱，不能傳水穀以資精血，是以精血枯涸，肌膚枯黯而成也。（出錦囊）骨瘦稜層，形露者死。蓋丁奚哺露，皆因脾胃久虛，不能化水穀，以致榮衛氣弱，肌肉消爍，胃氣不足，復為風冷所傷，形體瘦露，亦有胎中受毒，形體臟腑少血所致，盡皆無辜，種類難治，宜用十全丹（見下）。

殺之出医學痨癖肚脹臍突肉削骨露潮熱往来五心煩熱盗汗喘嗽骨烝枯癖面生瘡疥是也出錦囊諸症同前更有泄瀉腹硬如石面色如銀斷不可治古方八物湯百八九去白术加黄芪柴胡半夏陳皮史君子蝦蟆灰鱉甲各等分姜棗煎服或連胆凡見下香連猪肚凡七八加蝦蟆灰救之如氣促者即死出医學

大肥兒凡治五疳脾虛泄瀉骨烝錦囊方以下 人参 山查 白术

陳皮 莪术 厚朴 神曲 黄連 胡黄連

青皮 茯苓 白芍 地骨皮 澤瀉 肉荳蔻

檳榔　川芎　柴胡　史君子　甘草

乾蟾（煅各五分）　五穀虫（一刃）　為末審丸如磾米湯下

香蔻飲（治瀉痢）　黃連　訶子（煨去殼）　木香　縮砂　[illegible]參

生荳蔻肉（姜水煎服）　○　傑聖丸（治小兒痢病通用）　蘆薈　五靈脂

夜明砂（焙）　砂仁　陳皮　青皮　莪术（煨）

史君子（煨）　木香（各一ク）　蝦蟇（日乾炙焦）　黃連（各三ク）　右為細末用

雄豬膽二枚取汁和丸麻子大每服十五丸米飲送下

豬肝散（治痢翳膜羞明）　夜明砂　蛤粉　穀星草（各一刃）　右為末

每服一ㄋ，五七歲以上二ㄋ，用雄猪肝如匙大片，批開，摻藥在內，以麻緊定，米泔水半碗，煮之，肝熟，撈出，傾湯碗內，薰眼，肝分三次嚼食，仍用肝湯嚥下，日三服，不拘時，大人雀目空心服，至夜便見，如患久不愈，日作二服。

○鷄肝散 錦囊秘方，神治疳積，眼白翳，一服即紅，再服即退 透明雄黄 一ㄋ五，令研碎 桑白皮 五六ㄋ，焙乾，搗粗末 鷄內金 一个，炙燥搗碎，尾上用藥摻雄鷄肝上，酒蒸，去藥食肝，忌鐵器

畫眉膏 斷乳 梔子 三个，燒存性 雌黄 輕粉 神砂 各少許

右為末，香油調勻，俟兒睡著，濃抹兩眉，醒來自不思食乳矣，再服

一方治痔積眼神效　芙蓉花（四両陰乾）　肉棗（煨一个）　胡黃連（五ㄅ）

用雄鷄軟肝一个、白酒煮去筋膜，和前藥為丸，作三四服，白酒化下。

一方治腎痔腐根宜露臭爛　雄黃（如菉豆大四粒）　淮棗（去核七个）

右雄黃每粒藏棗內，鉄線纏定，於燈上燒，以外黑內乾為度，出火氣，為末，擦牙根，瀝去流涎血止為度。

追虫丸　苦楝根　貫衆　木香　桃仁（去皮尖炒）

蕪荑（炒）　檳榔（各一ㄅ）　雷丸　鶴虱（炒各一ㄅ半）　乾蟾（去頭足酥炙）

黃連（炒各一ㄅ）　史君肉（二十五粒）　為末，細丸，肉汁湯下（以下是岳方）　凡初病

者為熱痱、宜黃連丸七九久病者為冷痱、宜木香丸十八冷熱

相兼宜如聖丸、見下澤渡短少宜七味白朮散八一

連肚丸、治遍體生瘡不愈醫學方以下 黃連七兩水濕透、納雄豬肚內用線

緊縫、飯上蒸十分爛取出和少蒸飯擣丸小豆大每二十三丸米飲下

胡連丸治熱痱 胡黃連 川黃連各五分 神砂一フ半 右為末入豬

膽內緊定虛懸於銚內用漿水煑一炊飯久取出入蘆薈末

二フ射香少許粳米飯丸麻子大每五七丸茶清下、一方有青黛蝦蟆灰各二フ

至聖丸治冷痱 丁香 青皮 木香 厚朴 史君子 陳皮

肉荳蔻各二匁　為末、神曲糊丸麻子大、每七十丸米飲下

如聖丸　治熱疳　胡黃連　川黃連　蕪荑　史君子各一月　射香五分

石為末、用蝦蟆五个、酒煮擣碎、酒熬成膏、和丸麻子大、每五七丸或二十丸人參煎湯下

茯神丸　治驚疳　茯神　蘆薈　琥珀　黃連　赤茯苓各三匁

遠志肉　蕪藤皮　蝦蟆灰各二匁　菖蒲一匁　射香少許

為末、粳米丸麻子大、每十丸薄荷煎湯下

風疳丸　治肝疳　青黛　黃連　天麻　五靈脂　夜明砂

川芎　蘆薈各二匁　龍膽草　防風　蟬蛻各一匁半　全蝎

乾蟾頭各三個為末猪胆汁浸糕丸麻子大每十丸湯下薄荷煎湯

小胡連丸治食癖　胡黃連五分去巢積　阿魏一刁半去肉積　神曲去食積　黃連去熱積各二刁　射香一粒為末猪胆汁和丸黍米大每三十丸白朮煎湯下

清肺湯治氣癖　黃芩　當歸　麥門　連翹　防風　赤茯苓

桔梗　生地　紫蘇　甘草　前胡各五刁　桑白皮五刁水煎服

化癖丸治氣癖　蕪荑　蘆薈　青黛　川芎　白芷　胡黃連

川黃連　蝦蟆灰各等分　右為末猪胆汁浸糕丸麻子大每二十丸飯食後臨卧杏仁煎湯下

蘆薈丸　黃連五刁猪胆汁浸　承蔓根　烏梅　蓮肉　杏仁各二刁

為末牛胆汁浸糕丸麻子大每五丸烏梅煎姜蜜湯下
香蔻丸治瀉痢　黃連三ㄱ　木香　肉豆蔻　訶子　砂仁一　茯苓
各一ㄱ　為末飯丸黍米大每五丸米飲下
香砂丸治痢　黃連三ㄱ　木香　厚朴　夜明砂　砂仁各二ㄱ
訶子一ㄱ　爲末飯丸麻子大每十五丸姜煎湯下
褐丸子治脹　蘿蔔子一刄　陳皮　青皮　檳榔　五靈脂
黑丑　赤茯苓　義朮各五ㄱ　木香二ㄱ　右為末麪糊丸菉豆
大每十五丸桑白皮紫蘇煎湯下或蘿蔔煎湯下治小兒乳食不消心腹脹滿

㕔逆氣急或腸鳴泄瀉腹中冷痛食癥乳癖痃氣痞結積聚腸胃或秘或利頭面浮腫兼治五痔八痢肌瘦腹大者如神一方有胡椒黃連三稜莪蒁根各二分

龍膽丸 治脇痔 龍胆草 升麻 苦楝根 防風 赤茯苓 蘆薈 油髮灰 青黛 黃連各等分 右為末猪胆汁浸糕丸麻子大每二十丸薄荷紫蘇煎湯下食後仍以皁芦薈末入

月蟾丸 治無辜痔 用癩蝦蟆二个打殺 置桶中以尿浸之却取糞蛆一杓入內任蛆食一日夜取出以布袋繫於急流水中浸一夜一尾上焙乾入射香一字為末飯丸麻子大每三寸丸米飲下一服虛煩退再服渴止三服瀉住亦治諸痔

至寶保童丸 治諸疳治五臟乾疳 鰻鱺頭　蟾頭　熊胆　射香
夜明砂　黃連　天漿子　龍胆草　青黛　青皮
五倍子　苦楝根　雄黃　蘆薈　胡黃連 各等分為末糊丸麻子大每十丸米飲下

至寶消食丸 消疳殺虫退熱磨積進食 史君子　麥芽　陳皮　蕪荑　神曲
胆草　黃連　山查 各等分 為末陳米飯丸黍米大每十丸米飲下

肥兒丸 治身黃腹急痞堀泄羸瘦弱一切疳症 黃連　神曲 各一兩 麥牙　肉豆蔻
史君子 各五分 檳榔　木香 各二分 為末豬胆汁浸糕丸 麻子大每三十丸米飲下
一方去檳榔豆蔻木香加蕪荑青皮各黃連肥兒丸 治諸疳及眼疳

蘆薈丸治疳殺虫和胃止瀉　胡黃連　雷丸　芦薈　蕪荑　木香

青黛　鶴虱　黃連各一両　蟬蛻二十个　射香一リ　為末猪胆汁浸糕丸麻子大每二十丸米飲下

十全丹治丁奚無辜甫露等症　陳皮　青皮　莪朮　川芎　五靈脂

白豆蔻　檳榔　蘆薈各五ク　木香　史君子　蝦蟆灰各一リ

為末猪胆汁烝餅丸麻子大每二十丸米飲下熱者落荷湯下

蘆黛丸治諸疳腹大頭小面黃虫痛飲食不為肌膚　夜明砂　蕪荑　史君子各三両　芦薈

人参　白朮　茯苓　甘草各五ク　為末湯浸烝餅丸碑子大

每一丸用絹袋盛之次用精猪肉同煮候肉爛熟提起

掛風前陰乾只用肉和汁與兒食之次日依前煏服藥盡為度

夜明砂方治諸疳　夜明砂炒為末入諸飲食中服之　又有魃病者因孕婦被惡祟導其腹中令兒下痢寒熱去來毛髮不澤或因婦人有兒未能行時復有孕使兒飲乳亦成此疾宜千金龍膽湯十二仍以紅紗袋盛夜明砂與兒佩之

疳門要藥各宜隨候採用出錦囊　清疳熱如川黃連胡黃連黃芩梔子地骨皮石斛五穀虫青黛滑石之類

消疳化積殺虫如龍膽草蘆薈黃皮乾蟾三稜莪朮枳實山查史君子杏仁檳榔阿魏蕪荑石決明神曲香附青皮木香之類

滋陰養血生地熟地當歸白芍丹皮骨皮知母黃柏澤瀉之類　健脾開胃培元如山藥茯苓白朮砂仁陳皮白豆仁麥

實人參甘草米仁肉菓道肉陳米之類

丹毒附胎瘡　審機○一　赤紫丹瘤皆心火內鬱而發赤如丹砂故名曰丹因熱毒客於皮膚搏於血氣而風乘之陰滯於陽卽發丹毒熱極生風片刻之間遊走遍體書雖有五色之分十丹之異總不出血熱而屬於心心火內熾客風外乘風勝則庶物皆搖故令遊走殊速如丹毒火症也得于胎熱其母受胎之後不忌五辛煎熬炙煿酒麪之類或感風熱或不節房事皆能助火火邪內攻胎受其毒而傳氣于小兒故出胎之後多有是症亦或

炊尿衣乘熱或不甚乾即穿濕熱浸淫心火驟盛以致毒
與血搏而風乘之所以赤腫遊走遍身不定
别症○一名之丹者以其應心火而色赤也色紅者生白者氣
虛挾痰紫者毒盛赤者名赤遊丹熱毒感之深也其狀赤腫
片又如胭脂塗染或發於手足或發頭面胸背令兒煩燥
腹脹其熱如火痛不可忍遊走無常行甚速一白者名白遊風感風溼之輕症也其氣流
兒作痒壯熱憎寒鼻塞悶咳嗽吐逆如類下如錢兒其色赤而光謂之赤瘤或遍
身紅點如洒珠謂之丹疹其遍身紅腫熱氣如蒸謂之火丹

或小腹胯上陰囊等處忽然紅腫如霞流行不定謂之赤遊丹

一青色如苔者死及一切丹毒入臟腑突出發面頰紫浮噎

氣不乳手足拳禁大小便絶胸背血點舌生黒瘡心胸紫腫者不治

又曰火灼瘡者先天之熱毒也火走空竅故於口鼻眼目陰

囊糞門之處紅點如齊漸成紅疱踰日而穿赤色無皮如湯

火煿炙之狀苦痛殊甚睡卧不安一二日間周身皆腐若至

顋門腫起陰囊腫亮者不治　治法○一遊赤甚速者須急治

之若一入腹入腎即不可救如赤者宜用清涼解毒甚則砭

去惡血、以藥塗之、白者不過疎散滲濕而已、然小兒臟腑嬌嫩、凡一切丹毒、必先內服解毒、方可外敷、蓋毒易入難出、肌肉受傷、其害輕、臟腑受傷、其害速耳、諸丹毒惟赤遊丹為至急、若見小兒多啼少乳、即遍視其身上、一有紅色、即急治之、苟着視不周、毒在身而不之覺、時已入腹中、救之無及矣、一云、丹毒惟紅綠瘤為不治、因母久熱食遺熱則胎非藥所能解也、故凡丹毒變易非輕、如經三日不治、攻入臟腑必死、病名非一、總為丹毒、丹毒入腹、腹脹不飲乳、或入小腹陰囊如著傷者死必子未入腹之時急服退毒凉劑外用小刀刺去惡血用拔毒凉腕之劑敷之或猶可生其入腹者無如一瀉間有瀉而生者乃千百中之一也

處方　荊防飲 治赤丹遊走

荊芥　防風　丹皮　花粉　橘紅　連翹　甘草　粘子 炒拌　玄參　赤芍　羌活　金銀 等分水煎服

綠袍散

菉豆 五ツ　大黃 二ツ　為細末生薄荷擣汁入蜜塗

又錦囊方 以下

一　浮萍草汁敷之

一　芭蕉根汁敷之

一　鼠粘根汁敷之若發癩屬風熱挾痰而作自寒而發于外

宜防風通聖散（八五）以散之去硝黃尤為穩當下之非理也（諸方書以下）若内傷發瘢胃氣極虛一身之火流行于外宜補以降玄參升麻湯（八六）蓋玄參能瀉無根之遊火補而能降正合此也若傷寒發瘢瘢有黑點而無頭粒者是也當從仲景之法治之凡瘢疹黑而入腹最為傷人由四肢而入腹者亦是

（醫學方以下）一從頭項上起用葱白　一從背起用桑白（皮羊脂調塗）

一從頭項上紅腫痛（用赤小豆為末雞子清調塗）　一從面上赤腫（用灶心土為末雞子清調塗）

一從腰背赤腫黃色柳木（燒灰水調塗）　一從腰上腫赤色（柳為末朱醋調塗）

一從兩脇虛腫用生鐵剉末入豬囊水調塗　一從兩脚赤腫起用乳香爲末手脂調塗

一從陰上起用屋漏處土爲末手脂調塗　一從兩脚赤白起黑用豬槽下土爲末清油調塗

錢氏通用朴硝土硃爲末藍葉浮萍水苔同研絞汁調塗

或用朴硝一兩大黃五匁爲末新汲水塗稍乾則塗如囊

氣入裏腹脹則死惟以紅內消散救之

紅內消散　紅內消　當歸　茄片成茄蒂亦好　甘草　姜活

黃芩各五匁　射香五分　爲末每二匁以生地黃煎湯調服

宜通用五福化毒丹百一　犀角消毒飲七八　人參敗毒散八六

紫草、或升麻葛根湯、加白朮茯苓木香枳殼、大抵以清心火去濕熱爲主、勿令毒陷、有不可服凉藥者、惺惺散九六亦妙

附胎瘡、如兒一二歲、遍身生瘡者、宜先服五福化毒丹、百一犀角消毒飮、八七

外治方、用父小便、以鷄翎蘸刷、如瘡濕者、以青黛末乾掺、更與丹毒條參看通用

○發熱 傷風感寒諸熱

審機、一小兒氣稟純陽、而少陰血、氣壅實、臟腑稍乖、易於發熱、蓋陰不能以配陽、血不能以配氣、故凡病作、屬火者多、

若壅熱不散，留滯胸膈，熱則生風生痰矣。

附諸書外感兼內傷論

夫傷寒之症，六經感受亦無異於大人，但大人元氣已散，天真不完，况有七情相感，又多挾內傷，故患真正傷寒最難調理。小兒則天真未鑿，七情又少，所感之症比大人差緩，但寒多熱少，外感必深；熱多寒少，內病必重。外感通身骨疼，內傷必腹脹痛飽悶。治外之劑常兼治內之藥，而汗下之法比大人宜從輕矣。傷風之症，頭疼身熱，鼻塞氣粗，噴嚏呵欠，呻吟不已，見風便怕，洒淅微寒與大人傷寒無異若挾食卽仕食挾痰卽吐痰作劑比大人所服宜減一半不論痰與食有否常須兼用之蓋小兒易於傷食而熱則易生痰故劑中宜略帶用但輕匕疎觧令微汗出不宜過劑過則真元亦傷矣是我無過之地也

别症一發熱之症所因多端治者當條分而辨析之麻黄亡羊之憂

一肝熱者頰赤目直孕衣拘孛善驚眼赤痛　一心熱者煩叫唇鮮上竄咬牙胷痛志亂口瘡莖腫　一肺熱者喘急秘結手捏眉目鼻塞毛焦

一脾熱者口涎目黄腹大畜齒好脹　一腎熱者停耳多臘臭下竄畏明

一心脾合熱者重舌木舌　一胃熱者口氣作臭

一五臟蘊畜風熱毒氣者面赤如緋　一肝受熱則左臉先赤肺

受熱則右臉先赤心受熱則額上先赤腎受熱則頤間先赤脾受熱則鼻上先赤

一癖熱者形瘦多渴骨蒸盗汗頭瘡髮穗瘡泥食炭五心熱

一風熱者原心肺有熱當風之邪傷皮入臟而目澁精昏腦悶慕風壯熱有汗

一膈熱者面赤頭痛唇焦咽疼舌腫目赤頰下結硬口瘡痰涎稠粘壅驚譫妄

一胎熱者胎時服熱藥及熱毒物入胞生後兒身黄赤眼閉呻吟鼻熱口熱生瘡疹

一驚風熱者咬乳流涎仰視驚啼而入候症見

一恙毒熱者感四辰不正之氣頭痛壯熱與大人相類者

一傷食熱者發熱而吐酸口穢頭仰不卧上熱下冷額汗胸腹氣逆多啼掌心倍熱（人迎脉實頭痛脉攷）

一濕熱者發熱身重（重体疼面黄）

一瘀熱者憎寒壯熱惡風自汗脉浮胸痞

一溫壯熱者由臓腑不調或內有伏熱或內有宿寒（大便黄而臭伏熱也大便白而酸臭宿寒也）搏於胃氣故令不和血氣壅塞蘊積體熱一云壯熱者（常熱不已甚則發驚也）

一榮熱者胎時母食辛辣熱攻血脉入經路生兒發丹瘡或頭額生核或發大癰癤潰爛脫肉而危

一衛熱者胎寺饑飽勞役憂愁思慮動乏真氣虛邪干亂神
璁兒受之生後常骨困腹急氣粗重則喘急狂啼煩哭形瘦疳瘦畢號發熱也
一痺癧者身熱而脉弦數戰慄而不惡寒　一火乘土者四肢發熱口苦咽乾煩燥悶乱
一湿熱相搏者悶亂煩燥身重走注疼痛此風熱湿鬱而不得伸也
一夜熱則夕發旦止夜熱有三因血熱宿食疳勞　一客熱則來去不定
一寒熱則發如熱狀　一血熱則辰已發熱
一驚熱則癲叫恍忽　一食熱則肚瘦先熱
一積熱者則頰赤口瘡頻渴　一虛熱則困倦無力

一煩熱者則焦躁不安而善啼　一癖熱則涎嗽飲水
一麻痘熱者中指鼻尖及耳背冷惡乳目澁眼赤耳後有紅
絲悶亂心煩常如睡狀或時寒熱是也
一表症未解而邪復傳裏為兩感如舉按脉實而面黃頰赤唇
燥口乾鼻氣熱小便赤澁大便堅硬此表裏俱熱也故發熱
惡寒者發於陽無熱惡寒者發於陰有表而熱者謂之表症
非表而熱者謂之裏症　一滑泄頻頻唇乾咽燥者是虛陽
上浮也尺寸脉俱洪者為重實尺寸脉俱弱者為重虛脉設

大或緩而滑或數而鼓此熱甚格陰雖形症似寒實非寒也
熱而脉數按之不鼓此寒盛格陽雖形症似熱實非熱也
古有八十種之分不可具載集諸方書並錄見聞者該四十二餘以明之症候　捫按法如大熱以手久按重按之不
甚熱者此皮毛之熱而熱在表也若重按久按之而愈熱輕
按之而不甚熱者此筋骨之熱熱在裏也若不輕不重按之
而熱者此肌肉之熱熱在半表半裏也又按掌中熱者腹中
熱掌中寒者腹中寒肘所獨熱者腰以上熱手所獨熱者腰
以下熱肘後以下三四寸熱者腸中有虫又曰胃否脇上胃

熱則臍以上熱、腹居臍下、腸熱則臍以下熱肝胆居脇脇熱則肝胆熱肺居胸背、背熱則肺熱肾居腰腰熱則肾熱

虛實熱而虛者必面色青白身則微熱口中氣冷面兩便利手足心皆冷、恍惚神慢、噓氣軟弱、虛汗自出、惡寒安靖啞惡驚惕、抱肥喜按、乍涼乍溫、卧則露睛、屈體脉息緩弱凡壯熱而惡風寒、為元氣不充表之虛熱也若壯熱而好飲湯者是津液短少、裏之虛熱也此皆為虛症最宜調補、或兼解邪、雖有發熱外症必不可妄用寒涼及仁意消散剋伐等劑熱而實者必面赤氣粗、口熱煩渴、唇腫便難、掀揭衣被煩燥啼叫

口瘡喜冷、飲水聲弦、脉強、伸體而卧、睡不露睛手指熱凡壯熱不惡風寒者、乃邪熱所客、表之實熱也若壯熱好飲水者是内火消爍裏之寔熱也此皆寔症邪氣有餘也或可散邪或宜清火。

○治法若寸口脉微陽虛陰乘而惡寒只脉弱陰虛陽乘而發熱盖陽盛則熱虛則寒陰盛則寒虛則熱屬陽屬表寒屬陰屬裏邪與陽爭則表寒邪與陰爭則裏熱半表半裏則寒熱交作若晝静夜熱是陽陷入陰晝熱夜静是陽旺於陽晝夜倶熱是重陽無陰宜亟瀉其陽峻補其陰

故曰晝病則在氣夜病則在血諸熱屬心火之象也心熱之氣凉以和之大熱之氣寒以取之甚熱之氣則汗發之發之不去則逆以制之制之不盡則求其屬以衰之味苦以治臟味辛以治腑臟陰屬內腑陽屬外內者下之外者發之次宜養血益陰其熱自愈總之諸病無不熱者其熱總是本身之火發見必求其所因而調之切勿徒事寒凉益合傷此身中之陽氣也熱有輕重之分翕翕發者其熱在表為風寒客邪陽氣拂鬱宜汗而散之蒸蒸熱者其熱在裏乃陽氣下陷入

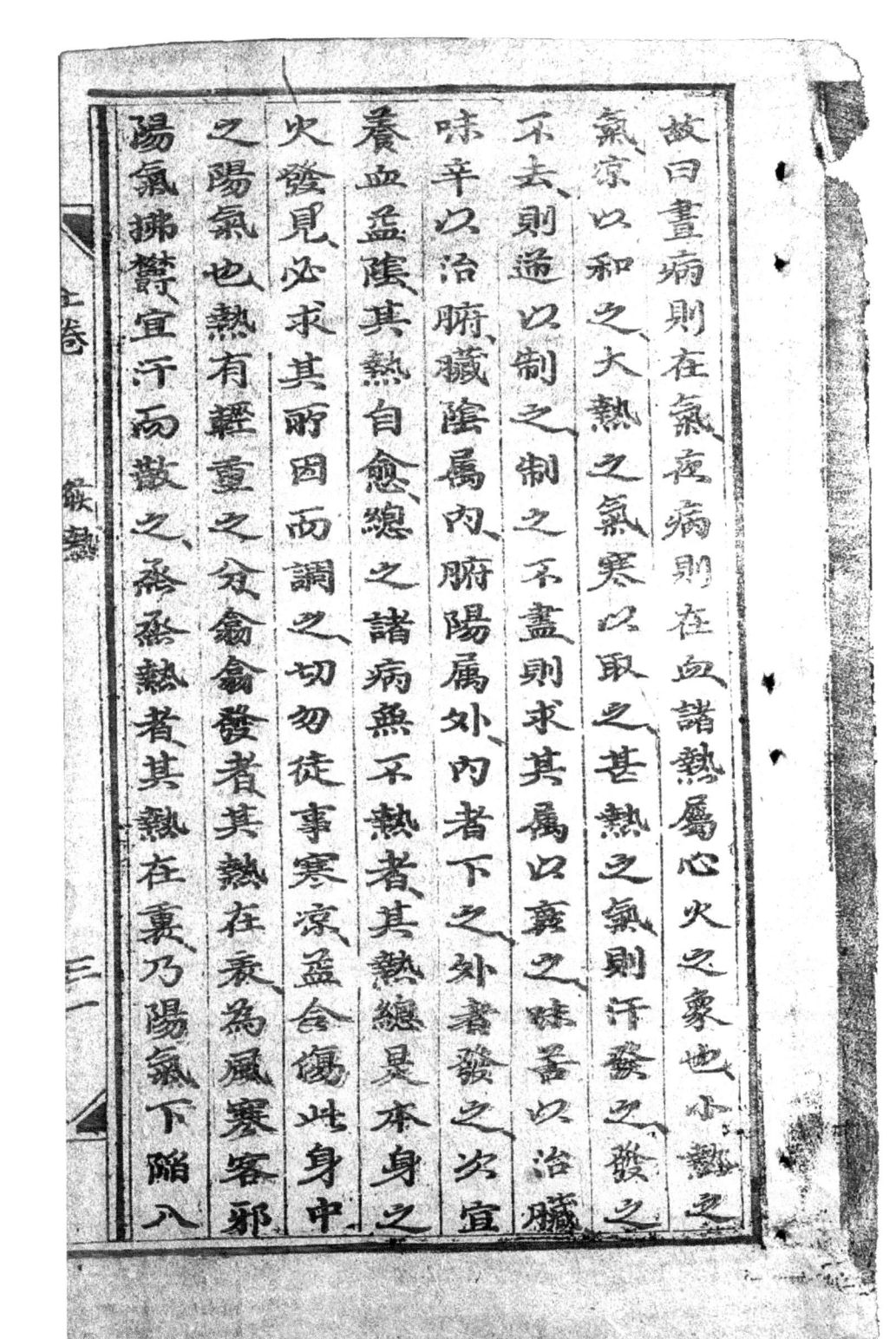

陰中當下以滌之若經汗下而不除者此表裏俱虛氣不歸源陽浮于外也不可再用凉藥及再汗下當和胃氣使陽氣收歛於内其熱自止日晡潮熱者陽明實熱也實者邪氣實當利大便然久則為虛非補土以藏陽即滋陰而退火或傷寒後餘熱不解者有因痞堒陰陽不均者有因癥癖食冷脾胃不和者有因臟腑虛怯陰陽不和者或暑濕當分症以治之凡虛熱不可峻攻蓋熱去則寒易起又不可大補蓋餘熱得補則熱復作必求其屬以衰之不求其屬投之不入者也若

發熱惡寒、大渴不止、煩燥肌熱、不欲近衣、六脉洪大、按之無力、或兼鼻乾目痛者、是陰血虛發燥熱也、治當補血、若不能食、身熱自汗者、是氣虛也、治宜補氣、凡諸熱症、皆忌飲酒、否則挹薪救火、終無成功、若脉陰陽俱虛而熱不止、及下痢發熱、或熱而不為汗衰、或汗後復熱而脉躁、及狂言不能食者、皆為凶候也

處方　升麻葛根湯　主治大人小兒辰氣瘟疫頭痛發熱肢体煩疼及瘾疹赤發乎欲出之間　錦囊方　升麻　白芍　甘草各一錢　葛根二錢　水煎服

人參前胡湯　主治小兒感冒發熱　前胡一錢四分　柴胡　半夏　黄芩

人参　桔梗　甘草各七分　右各味姜棗煎温服

七寶散　主治感寒頭煩体熱小兒乳母同服　蘇葉　香附　橘皮　甘草　桔梗

白芷　川芎　右各味等分姜棗水煎温服一方加麻黄

清凉飲子　主治小兒血氣壅盛臟腑生熱頰赤多渴五心煩熱咽喉閉痛乳哺不辰寒温无度潮热往來睡臥不安手足振掉欲生風候　人参二ク

川芎二ク　防風一ク　歸尾半一ク　赤芍一ク　大黄一ク麪裹煨　甘草半分　燈心七莖

麥門一ク　同煎不拘辰服

茯苓湯　主治嬰兒伏熱往來　柴胡　麥門　人参　赤茯苓　黄芩

甘草　加小麥二十粒　竹葉三片　水煎服

滋腎丸　黄栢三ㄉ製　知母二ㄉ　桂五分　右各味爲末熱水湯下丸百粒者

水鑑方　主治小兒百日忽作寒熱與服寒藥反作嘔乳與探藥其病益加有否室得殄術　桃花末一ㄉ陰乾爲　甘草末四分　藍葉二字　右二味用甘草煎湯入末藥調勻灌之入口立效

外感發熱治要　景岳方以下　凡小兒無故發熱多由外感風寒若寒邪在表未解者必有發熱頭痛或身痛無汗或鼻塞流涕畏寒拘急脉見緊數者是也凡暴感者極易解散一汗可愈但察其氣血和平別無實熱等症或但倦怠昏睡者則但以四柴胡飲十九或五柴胡飲三百五十三爲主此法先固其中

次解其表庶得元氣無傷而邪得易散也若胃氣微見虛寒者宜五君煎百二一加柴胡或理陰煎百二六加減用之若元氣頗強而能食者宜正柴胡飲百六四或錢氏黃龍湯百六大若寒氣盛者宜二柴胡飲百六七若寒邪盛而中氣微虛者宜五積散百卆若傷寒惡風身熱兼嗽而中氣不虛者宜柴陳煎百六十若中氣不足而兼熱兼嗽者宜金水六君湯百三一

內熱虛實治要凡內熱與外熱不同內熱以五內之火熱由內生病在陰分故宜清凉不宜升散以內火愈熾如火空則發之義也

外熱以霽騰之邪、風寒外襲、病在陽分、故宜升散、一卷三宣透
降、以表熱愈留、此外內合邪之謂也夫外熱其至必驟、內熱其來必緩、但
察其純無表症、而熱在臟腑七竅三焦二陰筋骨肌肉之
間者、皆是內熱之症、但內熱之症亦有虛實、實熱則宜疏
下、虛熱則宜調補、凡寔熱之在內者、古法有分五臟宜從
正治、如心熱宜瀉心湯百六九或導赤散百五九安神丸八二如肝熱
宜瀉青丸三九或柴胡飲子七十龍膽湯見攝口條如脾熱宜瀉黃
散一音如肺熱宜瀉白散百二地骨皮散百七二重則涼膈散三七如

腎熱宜滋腎丸百七四　六味丸百八六　以滋陰肢體熱輕宜惺惺散九六　重則人參羌活散九八

一二便出血宜保陰煎百七五

一餘熱不退宜地骨皮散百七二

一血熱妄行宜清化飲百七八

一三焦火盛上下甚熱宜抽薪飲百七九

一大便秘宜二黃犀角散百七六　或四順清涼飲百七七

一小水熱痛宜大分清飲百七九

一陽明內熱煩渴頭痛二便秘宜玉泉散百八一

一陽明火盛兼少陰水虧者宜玉女煎百八二

一凡元氣虛而為熱者皆虛損證也宜從反治

一如心脾肺氣虛假熱者宜五君子煎百二一　或人參建中湯[illegible]

一如五臟血氣俱虛假熱者宜五福飲四

一如肝腎真陰不足假熱者輕則六味地黃丸百八六甚則理陰煎百七五

一如肝腎血虛假熱者宜大營煎百八四或五物煎百八五

一如肝腎陰虛上熱下寒則陽無所附而格陽為熱者宜六味回陽飲入或八味地黃湯百八七

一如肝經血虛生風而熱者宜四物湯百八九加天麻鈎藤

一汗後血虛而熱者宜六神散百二三加粳米　一汗後氣虛而惡寒發熱者宜補中益氣湯三九

一汗後陰虛陽無所附而發熱者宜四物湯百八九加芪參

一汗後陽虛陰無所依而熱者宜四君湯百八八加芎歸

一若久從溫補而潮熱不退脉見滑大者宜五福飲四加地骨知母

夫小兒傷寒與大人無異、所異者夾食夾驚而已、雜病亦然、

如左額青紋厥冷無汗、懍慘是傷寒、手足溫有汗、面光發

熱是傷風、右頰角青筋發熱頭額肚腹熱甚、或兼口吐腹痛者傷食也出医學

一如傷寒夾食者、宜人參羌活散九八加青皮紫蘇或藿香正氣散見吐瀉合敗毒散三百六便閉加大黃[illegible]

一如內傷生冷外感風寒、寒熱如瘧、惡心少食、宜人參養胃湯百四四

一如正額青面色青紅、手足心有汗、時作驚惕、夜睡不安、手

絡脈微動發熱者、驚熱也、宜脫甲散百九三紅綿散百九四或人參羌

活散九八加殭蠶蟬蛻南星全蝎白附麻黃便閉加大黃[illegible]

硃砂安神丸百三八或溫驚丸三三先發表而後安心神可也

一如身熱咳嗽聲重鼻塞氣促體弱自汗惡風此傷風也宜惺惺散九六咳熱盛者宜參蘇飲九七發熱盛者宜人參羌活散九八或天麻防風丸百九五壯熱者宜升麻葛根湯見上此傷風表藥不可誤用麻黃八裏與傷寒同但傷風能食為異如煩渴大便赤黃者宜四順清涼飲百七七合小柴胡湯百九六二便閉宜大柴胡湯百九七風熱內實者宜大黃丸百九八○以上皆治外感之方

凡定熱面赤氣粗口渴唇腫暴啼掀揭露衣似傷寒陽症宜人參羌活散九八參

蘇飲[七九]通心飲[百九九]導赤散[百九五九]瀉白散[二百]瀉黄散[一二百]連翹飲[見下]
甘露飲[二百三]生犀散[見下]凉膈凡[二百二]四順清凉飲[百七七]八正散[二百四][附宣明]
凡虛熱而面色青白神緩口冷泄瀉多尿夜出虛汗似傷寒
陰症宜惺惺散[九六]虛煩自汗者宜保元湯[二百五]去朮加芍浮小
麥姜棗如上熱怫鬱驚惕不得自安下冷泄瀉不常宜敗毒
散[二百六]加當歸木香若升降陰陽宜來復丹[二百七]薄荷煎化凡[下第三]
凡發熱表裏已解忽陽浮于外煩熱大作者當與和其胃氣
使陽氣歛而歸元則身體自清宜參苓白朮散[二百八]錢氏白朮

散三六與太乙丸二百九選用，因大病後得者，榮衛虛弱，宜滋養氣
血，或稟賦弱者，宜謹避風寒以護其外，調飲食以養其內，俱
宜生犀散一二，或四君子湯一百八加減。因飲食得者，腹有積癖，面
色淡黃，潮熱腹痛，宜磨積調脾，順理三焦，其熱自退，用枳朮
丸二百十一、肥兒丸見疳門。成疳者，蘆薈丸八四。因積生熱生疳者，宜二陳
湯二百十一加升麻、葛根、白芍、人參、五味，姜煎服，或枳朮丸二百十一加陳
皮、半夏、黃連、山查、神曲為丸，通用梨漿飲最宜，或青蒿飲并效。
梨漿飲 主治潮熱、積熱、瘧熱及脾積寒熱　青蒿童便浸一宿，洒乾　柴胡　人參　黃芩

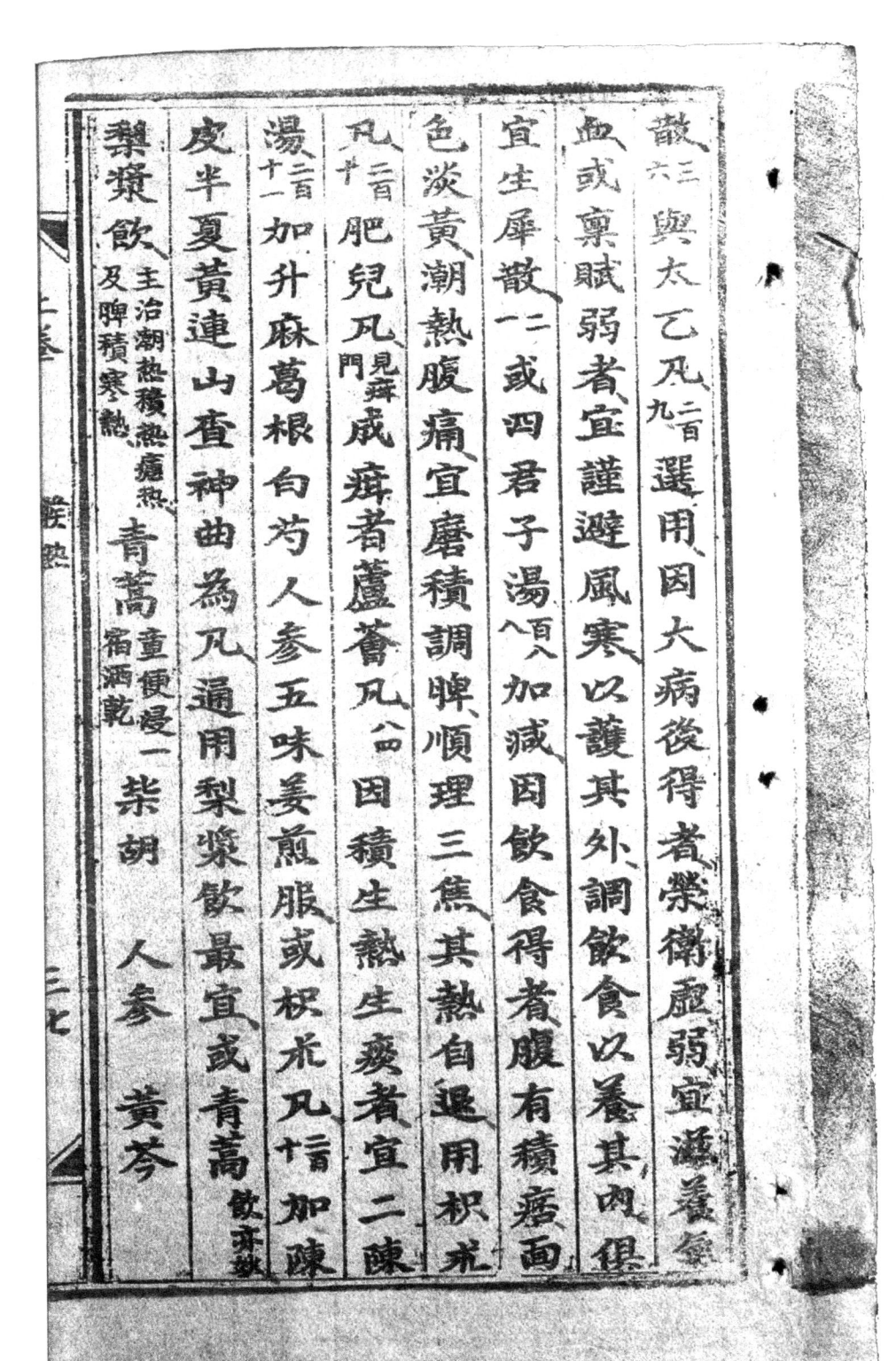

前胡　蓁芃　甘草各一分　生梨　生藕各一片　薄荷二葉　地黄一寸　水煎服

小生犀散主治骨蒸肌熱瘦瘁煩燥口渴瞞熱盗汗五心煩熱　犀角　骨皮　赤芍　柴胡

葛根各一月　甘草　每三ㄱ水煎服

連翹飲即八正湯加減治小兒諸熱表裏俱宜　連翹　瞿麥　滑石　車前　牛蒡

赤芍　山梔　木通　蟬蛻　當歸　防風各半分　黄芩

荊芥各一分半　甘草一分　水煎服　一如肝熱大腸熱癮疹熱加麥門

一如丹毒寔熱血熱三焦熱小腸熱加大黄灯心　一如麻疸熱温氣熱已出未出症熱加紫草灯心

一如餘毒熱胎熱肺熱傷寒後熱瘡疹後餘毒發熱加薄荷

一如項上注核作熱癧、癧熱毒、加大黃樸硝、

嘔吐、審機經曰、諸嘔逆上冲、皆屬於火、諸嘔吐酸、皆屬於熱、又曰寒氣客於腸胃、厥逆上出、故痛而嘔、此陽明之氣不得順下、乃逆上而嘔吐、有寒有熱、有傷食有傷乳而得者、凡有聲有物開口而作者曰嘔、有物無聲者曰吐、有聲無物者謂之噦、又有哯乳者、乳自流出、似簷水射出之狀、逆者心胸上下氣逆鬱藥、噦者臟虛胃寒、噦噦作聲、無物可出也、如哯之不已、卽成吐、吐之不已卽成嘔、嘔之不已卽

成逆逆之不已即成癥至此胃氣大衰精神漸脫矣有因母有伏痰得之胎氣使然有因拭口不淨惡水流毒所致有因飮食乍乘有觸驚恐胃氣受傷惡食胃　痛而致者

別症一如膚削神困顖動不停不思乳食是胃氣虛弱不能消納此爲虛吐

一如面青唇白清涎挾乳喜熱惡寒四肢僂清此爲冷吐

一如胃有實火則吐黃水而味苦胸前煩燥若乘厥陰而入臟則爲酸爲逆多怒煩啼此爲熱吐

一如咳嗽氣急吐清水而膈悶者是胃有寒邪中有頑痰已而成熱此爲痰吐

一如飮食不化酸臭上逆惡食不渴胃痛潮熱者是傷食傷寒也

一如昔癡稠涎、作噫作嘔者、皆火之徵也、

一如面白毛焦、或面有白瘢點子、唇紅或紫、昏悶辰吐不省人事胃口虛痛辰止而嘔清水者虫吐也

一如唇黑多哭、爽瘦吐乳者、是傷脾也、

一如身上發熱、咳嗽痰鳴、夜間煩燥、鼻青吐乳者、是客忤傷肺也

一如早晚發熱、山根青色、吐而不睡者、驚吐也、

一如耳後紅紋、兩頰紅紫、憹氣粗作吐者、此發痘疹之候也、

一如嘔吐不止、日漸沉困、顱陷或腫青筋大露者并頻吐不食昏沉譫寒喘急大熱常嘔腥臭者死

治法　治吐之法、當辨新久寒熱、如初吐當導利以順氣下行、

以吐者須防胃虛生風故治吐症貴扶胃氣爲要如吐不已可微止之無使大泄胃氣惟有風痰及夾痰吐者不可遽止否則風無定處更入外風痰熱相生必成驚候其餘諸吐初起及徽哯乳便當調治之又有胃氣衰冷不能運行津液所致者此宜溫補胃氣又有時時吐唾者多因胃氣衰冷不能藏畜津液潤浥心肺以必漸爲黃瘦宜煎地黃料浩飲之又有心脾蘊熱經曰舌縱涎下皆屬於熱者宜清理之屬腎屬胃屬脾爲虛爲寒爲熱當以脉色辨之

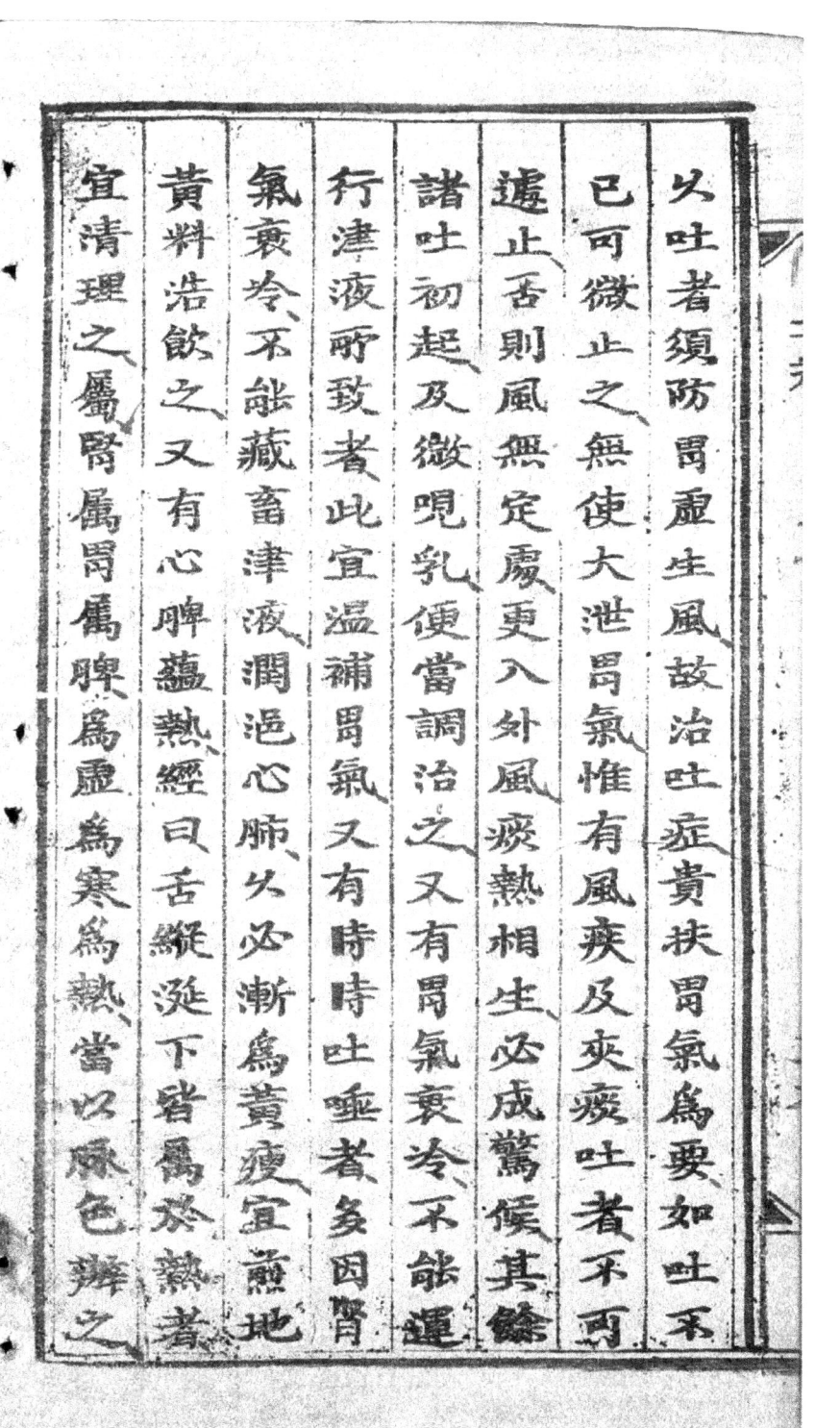

□方　不換正氣散 治傷風嘔吐腹脹 錦囊秘方以下 藿香　厚樸 各一ㄱ半 炙草 ㄱ 蒼朮 四ㄱ 人參 二ㄱ 茯苓 三ㄱ 木香 一ㄱ半 夏 二ㄱ 右各味姜棗水煎服

參苓白朮散 治脾胃虛弱飲食不進或吐或瀉 人參 四月 茯苓 三月 白朮 四月 甘草 一月 扁豆 四月 砂仁 半 一月 桔梗 一月半 薏苡 三月 蓮肉 三月 右各味為末姜棗煎湯送服

保和丸 治脾胃不調兩嘔 山查 六月 神曲 二月 半夏 二月 茯苓 二月 連翹 一月 菔子 一月 右各味為末糊餅丸白湯下

治中湯 治脾氣逆作嘔 人參　炙草　炮姜　焦朮　青皮 陳皮 各等分 水煎溫服嘔甚加半夏

橘皮竹茹湯 治久病虛羸嘔逆不已 橘皮一ㇷ半 竹茹一ㇷ半 人参二ㇷ 煨姜一ㇷ 甘草七分

大棗一枚 各味水煎温服

大半夏湯 治胃虛嘔吐 半夏五ㇷ 人参三ㇷ 白蜜二ㇷ 水二碗 和蜜掲之二百四十遍煮八分温服

天下拜受平胃散 治脾胃不和嘔吐吸水胸膈痰滞飲食不甘 厚樸 陳皮 生姜

炙草各三ㇷ 南京小棗二百對去核 茅山蒼朮米泔水浸一宿去皮晒乾五兩 右各味水五

斤熁乾搗作餅子晒乾為末 每服二ㇷ塩湯點服 又一方加霍香半夏二 如泄瀉生姜五片烏枚二个水煎半盞温服

養胃湯 治脾胃虛冷不思飲食嘔吐翻胃 人参 丁香 砂仁 肉菓 炮附

白豆蔻 麥芽 沉香 甘草 橘皮 神麯 各三ㇷ半 右為末 每服二ㇷ姜湯下

旋覆花湯（治中脘伏痰吐逆眩暈）旋覆花（去梗）半夏（湯泡七次）乾姜　橘皮（各二兩）（各一）

檳榔　人參　白朮（各五分）炙草（五分）右各味粗碎每服（四分）姜水煎湯下

木瓜丸（治初生惡物未下但嘔黃水者）木瓜　膩粉　木香　檳榔　麝香（各等分）

右各味爲末糊丸如小豆每服一二丸甘草煎湯送下

消乳食丹（治內傷乳食不化面黃腹脹滿如抱怀鵪卵而臭者而且嘅乳）丁香　木香　青皮

肉豆蔻　三稜　莪朮（各等分）右爲末糊丸如麻子大每服五十丸米湯飲下

一如腹痛吐乳平胃散（二百十三）合蘇合香丸（三百十三）調米飲下

一如夾痰者二陳湯（二百十一）加山查麥芽（泡乳烏梅熱加黃連寒加乾姜如危甚者用燒針丸）

燒針丸 此藥清鎭專主吐逆及瀉大人亦宜 黃丹一兩 枯礬等分 右爲末棗肉丸如芡實大每服一丸用針挑於燈焰上燒存性乳汁或米泔冷水化下

一如內傷乳食面色青白而發熱四肢逆冷腹且脹當先用消乳食丹能消積聚寬利胸膈如嘔甚者只用白豆蔻砂仁等分甘草減半爲末乾摻兒口中丸與乳與物飲水不下者最宜或燒針丸亦妙

四君湯 治冷氣入胃嘔吐 人參一兩 茯苓五錢 白朮一兩 甘草一錢 右各味加白豆蔻砂仁肉豆蔻山藥爲末或用白蜜爲丸每一錢服二錢以木瓜紫蘇湯下

一如脾胃虛弱，逆痰含哭，飲乳食物停滯不散，腹滿嘔吐，且哯乳者，加南星、砂仁、丁香、藿香、冬瓜子，姜煎服，或啟脾凡二百四
一如嘔吐不已，痰涎在喉有聲，將歇作驚者，用二陳湯二百十一加丁香、藿香，或抱竜凡二百十五主之
一如吐涎痰熱者，白玉餅九四下之一如因驚而嘔逆而吐者，大溫驚凡百四一　一如吐而渴，水不納者，五苓散九二
一如吐沫或白綠水者，胃冷也，宜理中凡二百十六，或用半夏、陳、朱、寺分姜水煎服
一如吐稠涎及血者，肺熱也，久則肺虛，宜阿膠散二百十七加減主之
安虫凡治沫水者，亦必虫痛　乾漆二分、雄黃、巴霜各一ㄅ，右爲末，糊凡如黍米大，每服五七凡，發時取東引石榴根煎湯服，量兒大小共之

一如經年吐乳眼腰朱瓤有筋膜者乃父母交感時喫乳所致宜益黃散百三六或五痔保童丸見痔門凡吐乳因驚因積因氣滯因外感與治吐同

泄瀉

審機　經曰脾虛則瀉脾者一身之祖百脉之源病則十二經皆病矣故曰脾虛腎虛肝虛謂之三虛者有因濕因火因痰因虛因暑因積因風因冷謂之八症然泄瀉痢瘧同乎一源皆暑月脾傷所致飲食為痰克於胸膈則為瘧飲食為積膠於腸胃則為痢飲食始傷即瀉為輕積滯難以

乃發瘧痢爲重寒瀉者其色必白熱瀉者其色必黃赤
糞沫射出而遠火性迅速元陽直走毋輕視也然有以寒
之後因虛而生火者有因熱極而傷寒者有因實而致虛者
有因虛不運化而似實者有因傷發頻傷色白似寒者有因
傚燥澁色黃津液耗亡作渴而似熱者有因本來射土色青似鶩者
别症　泄症所屬有五一曰胃泄飲食不化其色必黃二曰
脾泄腹脹滿而泄注食必吐逆三曰大腸泄食已窘迫大
便色白腸鳴切痛四曰小腸泄溲短而便膿血小腹必痛

五曰大瘕泄数至圊而不能便莖中亦痛

瀉症有五溏泄滑洞利是也溏者似瀉非瀉糟粕不聚其色似膿泄者無時而作瀉出不知利者直射淺溜氣從中脘滑者水穀直過腸胃不化洞者頓然下之如（桶散潰不留當以脉候别虛实）

一凡水瀉而腹不痛饑肉虛浮身體重著者是濕

一如瀉完穀不化為氣虛　一如腹痛腸鳴卒痛（一陣水瀉一陣者是火也）

一如骨悶痰多時瀉時止或多或少者為痰

一如痛甚而瀉瀉後而腹痛减者為食積

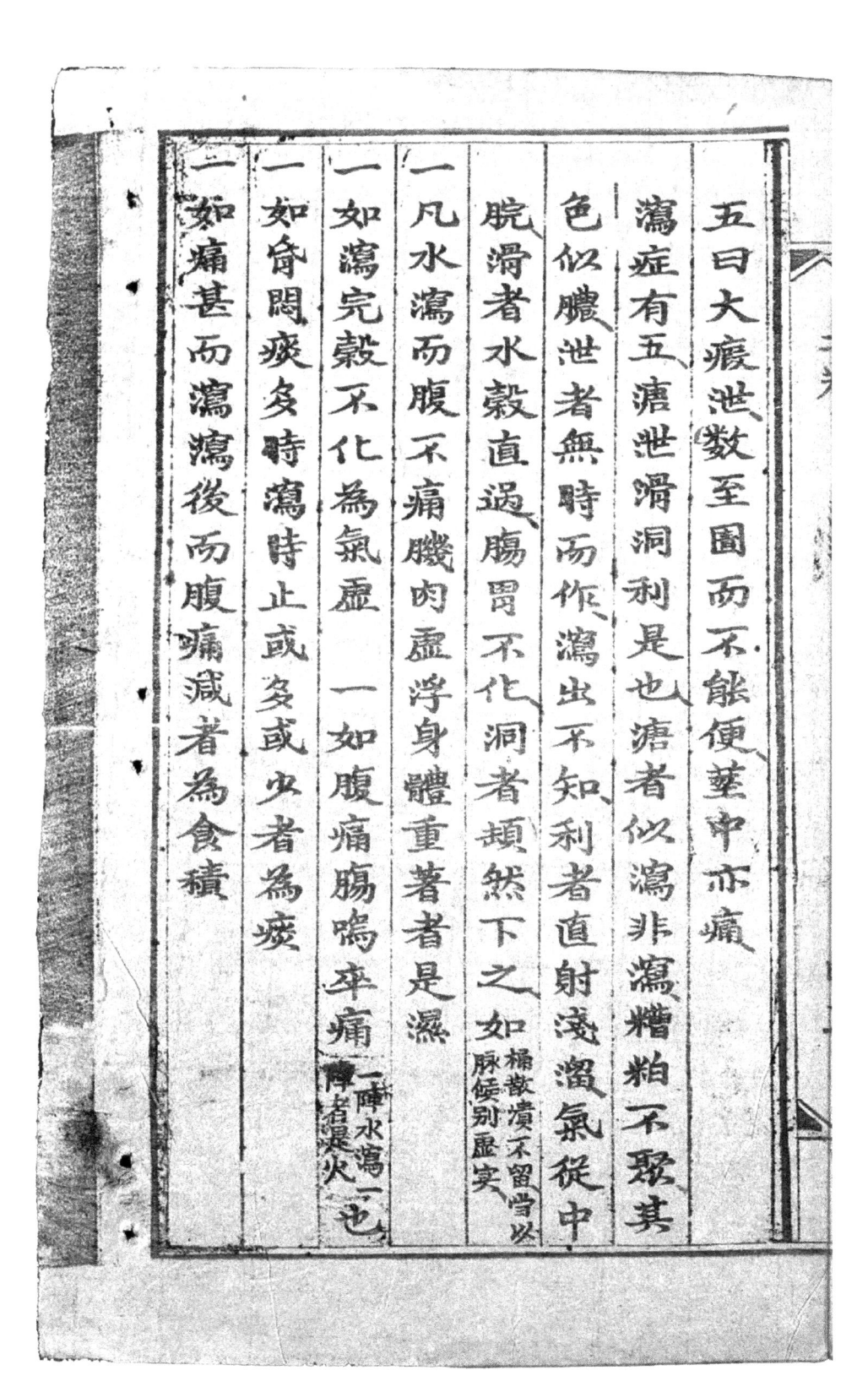

一如面垢頰燥渴飲水漿背寒自汗頭熱嘔吐爲傷暑

一如吐乳瀉黃者是傷熱乳也　一如吐乳瀉青者是冷乳也乃宿乳也

一如糞如鷄卵臭而肚膨手紋紫色而身熱者是痱瀉也

一如糞清夜啼或時驚悸者是驚瀉也　一如初瀉微黃良久則色青者爲臟冷也

一如瀉青而夾膿稠粘如涎者是亦腸寒久則令兒腹痛鳴啼面白形青漸成陰癇

治法　夫瀉本屬濕或飲食傷脾治法不外乎滲濕消導分利補脾數法而已然尤宜分寒熱新久如久瀉而元氣下

陷者宜升提之、腸胃虛滑不禁者、宜收澁之、蓋利水不可施於久瀉之後、收澁不可施於初起之時、面赤渴瀉者、發劑宜禁、久瀉作渴者、凉劑忌投、且暴瀉非陰、久瀉非陽、渴者當使不渴、謂其邪熱去、脾氣復、津液生也、不渴者當使微渴、纔痊、謂其積滯去、陰陽和也、

一如瀉時發時止者、可發散脾間濕氣、後乃扶脾可也、若交寅時而瀉者、謂之晨瀉、宜當溫補腎陽、蓋腎開竅於二陰而失閉藏之義也、

一如食積瀉者積聚停飲痞膈中滿胸脇疼痛晝凉夜熱厭
口吐酸其脉實者先利而後補虛者先補而後利
一如春月傷風咳嗽而泄瀉者是表裡俱虛（木旺土虧當補土以平肝可也）
一如冬月受寒而泄瀉者不治卽成慢脾也
處方　木香散（治久瀉脾虛及變慢脾風候 錦囊方以下）　木香　甘草（炒）　厚樸
肉菓（裹粗紙打去油）　蒼朮　訶子（煨 各五ㄱ）　茯苓　乾姜　車前　廣皮
白朮　木通（焙各一刄）　猪苓（炒二刄）　肉桂（三ㄱ）　右各味爲末（生姜炒砂仁湯調下 量人大小許服）
加味平胃散（神治水瀉）　留白廣皮　白扁豆（各二刄）　蒼朮（三刄二ㄱ）　厚樸（一刄六ㄱ）

甘草一刄 木通八刄 為末姜湯調下量人大小許服

錦囊新製加減五苓散 神治脾虚濕熱作瀉 留白廣皮二刄 蒼朮四刄 白朮五刄

茯苓六刄 炙草二刄 扁豆六刄 澤瀉二刄 右各味為末每用黑砂糖

調服煨姜湯下量兒大小許服

脾泄方 兔絲子一斤 乾姜半斤 大棗一斤 右二味為末大棗搗爛

為丸每日早米湯送下二刄

受肛瀉方 陳皮半斤 蓮肉半斤 花椒二刄妙研 右各味 為末每日早空心黑糖[illegible]調姜湯下深[illegible]多少

胃苓湯 蒼朮製一刄半 厚樸 陳皮 白朮 澤瀉 豬苓各一刄

茯苓二分　甘草　肉桂四分　姜棗水煎溫服

二神丸治虛寒泄瀉　破固四兩　生肉蔻二兩　共爲末以大棗四十枚生姜四兩同熁棗爛去姜取棗肉爲丸每服二十丸鹽湯下

椒附丸治泄瀉久重其人氣虛　椒紅炒　附子各五錢　山茱二兩　桑螵蛸三錢炙　鹿茸三錢酒蒸焙　龍骨三錢　右爲末糊丸如菉豆大每服五十丸空心米飲下

當歸厚樸湯治肝經受寒面色青慘厥而泄痢　厚樸二兩　官桂三兩　良姜五兩　右各味粗捽每用三錢水煎服

香茸丸治冷瀉日久　鹿茸五錢酒炙　乳香二錢　肉蔻每一个作兩片入乳香在內麵裹煨用一兩　右爲末

陳米糊丸如青豆大每服五十丸空心温水送下

萊菔斷下丸治臟腑虛寒泄瀉虛寒 吳茱萸炒二兩 赤石脂一兩 乾姜一兩 縮砂仁

艾葉 肉蔲 製附各一兩 右各味為末糊丸每三刀米湯飲下

醫學方以下 一滑瀉者或出不知或直射濺流穀食不化或下

之如桶散潰不留宜四君湯百八加訶子木香陳皮肉蔲姜

煎服兼進固腸丸二百十八或真人養臟湯二百十九或没石子丸見口瀉門

加乳香肉蔲選用

一瀉青色乃夾驚木射土也 宜益黄散百三六 大温驚丸百四一 主之

一初起瀉色黃變青或瀉藥物直過者尤為寒瀉三五次即因急用附子理中湯（見吐瀉門）或肢冷口鼻氣亦冷歘作慢驚慢脾者宜觀音散（二百二十一）加全蝎天麻防風羌活甚者用金液丹（五十）為末煎生姜米飲調灌多服乃效俟胃氣已生手足漸煖瘈瘲猶在者却用金液丹（五十）合青州白丸子（見驚風門）等分服之兼用異功散（見慢驚門）或理中丸（二百十六）鈎藤散（五百四）轉驚丸（二百二十二）雖至危者往往死中得生金液丹（蓋小兒吐瀉之妙劑也）

吐瀉　審機　凡脾虛則瀉胃虛則吐脾胃俱虛吐瀉俱

作黃赤紅色為熱，白色為寒，青色為痛。然吐則傷氣，瀉則傷血，氣虛則發厥，血虛則發熱，氣血俱虛則身熱而手足發厥。繼此必成慢風，可不慎歟！惟癖瀉不成風候。久則亦患無辜，終為虛矣。

別症　先吐而後瀉者，是中焦之氣不和，不能消納，必面唇紅赤，煩渴，溲短，厥脉洪數，乃受熱之徵也。先瀉而後吐者，或飲食不化，夜睡腹冷，或寒濕傷脾，脾傷胃弱而成，必面白神倦，不熱不渴，厥脉沉濡，是虛寒之可徵也。又有夏月外傷於暑，內傷於食，陰陽不能升降，乃乖隔而發者，又有陽氣不振，而吐瀉不止者。又有乳母月暑，兒飲熱乳者而然。
嬰兒初生吐瀉，面黃，瀉青白，吐腥臭者，為內傷寒乳，或外感風寒，身熱，面赤，瀉黃赤，吐酸臭者，為內熱（傷熱食或外感暑熱）。

死症　一凡瀉如注而脉浮大數者死。　一瀉而腹脹脉弦者死。　一唇赤生瘡，眼多赤脉者死。　一久痢作嘔有聲無物，唇鮮渴遏者死。　一洞瀉不止者死。　一大渴不止，此腎敗也，俱為死症。　一瀉如屋漏水不止，食入則嘔，骨沉眼竄，口鼻手足皆冷者死。　一舌黑與芒刺（此陰竭而孤陽上浮也，宜與前嘔吐泄瀉條參看）

治法凡小兒吐瀉皆當温補若已虚損尤當速生胃氣惟暑常時行瀉症不可遽投熱藥吐瀉久痢作無疑若患瘡瀉青者乃毒去無害不必服藥此亦例其未甚耳

處方錦囊方以下

保嬰至寶錠子錦囊秘方神治要兒風痰發熱驚府吐瀉積滯等症此本遺傳甚久馮先生發慈心

留白陳皮一兩炒　三稜一兩炒　麥芽一兩炒　厚樸一兩姜炒　萊菔子紅潤淨乾一兩　蒼朮一兩炒深黄　香附一兩炒　山查肉一兩半　草豆蔻粗錠者炒一兩　神曲二兩打糊作錠　鷄眼枳實一兩炒

右各味製依度為末神曲為糊凡作錠約重四分每歲磨服半錠不論何病俱用生姜磨化湯下本方加蓬朮一兩炒

附子理中湯治脾虛寒飲食不化手足厥冷腸鳴切痛或痰氣不利口舌生瘡嘔吐泄瀉等症　人參一兩　貢朮土炒二錢

乾姜炮一兩　炙草一兩　製附一枚　每八ㄅ水煎服去附子名人參理中湯

七氣湯治七情鬱結吐瀉霍亂　半夏　厚樸　白芍　茯苓各二ㄅ　桂心

紫蘇　橘皮　人參各一ㄅ　右各味姜棗水煎服

人參安胃湯治脾胃虛熱嘔吐泄瀉不食　人參一ㄅ　黃芪二ㄅ　生草五分　炙草五分

茯苓四分　白芍七分　陳皮三分　黃連炒二分　右各味水煎溫服

藿香正氣散治外感內傷寒熱霍亂吐瀉　桔梗　大腹皮　厚樸　升麻

茯苓各一ㄅ　炙草五分　藿香一ㄅ半　紫蘇一ㄅ　右各味姜棗水煎溫服

硃砂丸（治小兒初生吐瀉不止 醫學方以下）硃砂 南星 巴霜（各等分）右各味為末糊丸如黍米每服二丸薄荷煎湯灌服服後用硃砂（煎調之）

硃砂煎 硃砂（二ツ）藿香（三ツ）滑石（五ツ）丁香（十四个）右各味為末熱汲水一盞麻油滴成花抄藥五分在上須臾墜下（澄去水別用溫水下）

初生吐瀉壯熱不思乳食大便色白或不通者傳乳也先用紫霜丸（四九下之）後用橘皮餅

橘皮餅（治一切冷積作瀉）木香 橘皮 青皮 厚樸 神曲 麥芽 砂仁（各五分）右各味蜜丸芡實大每服一丸紫蘇煎湯

米湯飲下或加肉豆蔻訶子凡積冷者最宜

古方以下　一吐瀉身涼者宜觀音散二百二十一　吐瀉身熱作渴錢氏白

术散三六　吐瀉身溫或作寒作熱不思乳食或乳食不化太

便青白此上實下虛也先宜益黃散三百六　後宜四君湯百八　入

隨症加減用之

一如吐瀉肢冷額陷加藿香丁香　一如赤白痢加歸芍粟米

一如脾虛生風多痰加半夏沒石子及冬瓜子少許

一如驚啼夜癡睡臥不安加全蝎鈎藤香附

一如白痢加乾姜　一如泄瀉加陳皮厚樸
一如傷風加芎防姜活細辛　一如發渴加乾姜枇杷葉及禾飲
一如傷風多作吐瀉風木好侵脾土故也外症必寒熱咳嗽氣促熱者宜先服大
青膏九九或鉤藤散四百五以發之後服益黃散百三十六以補脾冷者
先服益黃散後服大青膏或鉤藤散發之
一如驚吐或瀉完穀者傷風甚也宜大半夏湯見嘔吐門
一如吐瀉作渴溺澁者宜五苓散二九　一如寒月吐瀉白色
不渴者宜益黃散百三十六腹痛者宜理中丸二百十六厥冷加附子炙草宜蔘[illegible]

没石子丸　兼治脐痛醲瀉　没石子一个　白豆蔻五分　訶子二个　木香一分　黄連一分　右各味為末飯丸麻子大每服十五丸米飲送下

一如暑月吐瀉色白引飲宜醫行丸二百五或玉露丸

玉露丸　石羔一两　寒水石一两　甘草五分　右三味為末糊丸如黄豆大每一丸冷水飲下如吐不止姜湯下

連栢丸　黄連一两　黄栢一两　右二味各為末入猪胆内猪蒸為丸如菉豆大每服二十丸米飲送下

一凡吐瀉之症多見於夏綏如立夏後濕熱時行暴發吐瀉

宜用蘇葛湯二百二六夏至後吐瀉身熱或傷乳食瀉深黃者宜
益元散二百二七合四苓散二百四十加蒼朮為末溫水調服大暑後吐
瀉身溫或傷乳食瀉黃白者食前服益黃散百三六食後服益
元散二百二七立秋後吐瀉身涼不食多噦多睡不渴者頻服益
黃散百三六少服益元散秋分後吐瀉身冷不食瀉青渴水者
益黃散吐瀉五內　俱虛有失音者乃腎怯也宜腎氣丸
一百一主之凡人病後而失音者同治吐瀉久不止者乃清氣
下陷胃中陽虛飲食少進四肢無力宜升陽益胃湯二百二八主

之或異功散（見慢驚門）虛渴者錢氏白朮散（三六）

諸積　審機　凡諸積腹痛腹脹痛甚結積痞滿浮腫黄

疳以致入痢總皆積之爲害也

辨症　一乳積者吐乳瀉乳其氣酸臭皆由啼叫未已許兒飲

乳停滯不化得之雖未嘔亦有痞也

一氣積者腹痛啼叫利如蟹渤或發熱肚膨體瘦皆由觸忤

其氣榮衛不和淹延日久得之　一食積者腹硬啼熱渴

瀉或嘔而黄皆由飲食無度食飧過飽卽睡得之

一如面黑瀉黑久瀉氣促手心生瘡皮軟者不治

虛實　虛者渾身微熱或夜間有熱少食神倦抱起如睡

實者壯熱肚熱尤甚便閉腮腫喉塞涎鳴壅盛熱毒發瘡

治法　凡小兒有積腸胃脆軟忌用毒藥攻擊久則脾虛食

少或吐或利變生他症治積之法調脾和胃緩急次序攻之

切勿傷其胃氣有因下積傷脾反生潮熱變爲慢驚者有之

處方　積之虛實俱宜木香丸十八虛者少用實者倍用

紓氣丸治氣積　木香　檳榔　丁香　枳殼　甘松　使君子

神曲　麥芽　三稜　莪朮　青皮　陳皮　香附各五分

胡黃連一分　右各味爲末烝餅爲丸黍米大每服二十丸米飲送下

一如有汗去青皮或青木香丸二百三十五亦妙

消乳食丸治乳積食積　砂仁　陳皮　三稜　莪朮　神曲

麥芽各五分　香附一兩　右爲末糊丸如麻子大每服二十丸紫蘇煎湯下

一如甚者宜消積丸二百二九或感應丸二百四一紅丸子二百三十下之

癖病　審機　小兒癖病與大人積聚同多藏隱癖脇腹

之間時時作痛凡小兒不食但飲乳而又咳嗽吐痰者必

腹中有癖惟癖能發潮熱或寒原因乳食失調以致中脘停水不能宣行為痞為癥冷氣搏之結而為積所以久病多有之

處方　輕者木香丸今重者取癖丸

取癖丸　甘遂　芫花　牽牛　辣桂　莪朮　青皮　木香　桃仁　五靈脂各三匁　右各味為末入油巴豆一匁和勻彩麪糊丸如麻子大每服二丸姜蜜煎湯下泄後冷粥補佐其和胃

祕傳保安丸治小兒五疳八痢吐瀉肚大青筋面黃削瘦癖積　白朮三匁　神曲　木香　茯苓　發卷　史君子　三稜　厚樸　莪朮　甘草各一匁　蒼朮二匁

陳皮　枳實　人参　莪朮（各一兩半）　黃連（猪胆汁浸）　砂仁　麥芽

益智　肉蔻　藿香　白蔻（各五分）　右各味爲末蜜丸如芡服大每服一丸米飲化下

一如嘔吐姜汁調湯水送下　一如有肉積加山查

一如喘加蘿蔔子　一如瀉加澤瀉猪苓各一兩

化痞丸（治痞消積進食止瀉和胃追虫）　木香　人参　黃芪　當歸　桔梗

黃連　三稜　莪朮　鱉甲　夜明砂　綠礬　枳實（各二兩）

史君子（八分）　苦楝根粉（三分）　訶子（一兩）　蝦蟆灰（一兩半）　右爲末蜜丸如

菉豆大每服三十丸米飲送下忌生冷（雞菉傷胛之物　大人癥瘕去夜明砂蝦蟆黃連）

揭脾散 海蛤粉 黄丹 硫黄各等分 右初伏日修合為末用酸醋調成膏攤瓦盆内晒乾為末一歲兒服一分空心米飲下取下脾識如藍汁為效

貼痞膏 水紅花子二ラ 大黄 朴硝 山梔 石灰各一 酒酵音教 一塊鷄子大共搗成膏用布攤開粘痞塊上再用湯瓶熨手柏蒴之色角切音搠擢藥也 三日後揭起内黒如墨是其效也

腹脹

處方 本由中氣而作也有積喘滿為實宜用紫霜丸四九 白玉餅九四 消積丸二百二九 褐丸子見痺門 以利其積若氣短

喘急者宜分氣蘇子飲無積不喘為虛可以温散宜六君湯百三二加白芍乾姜厚朴或大異香散七七加五靈脂為末紫蘇煎湯下或五苓散二九俾上下分消其氣不可妄下仍忌香燥熱藥若腹脹腫者宜塌氣丸主之

塌氣丸　胡椒一戔　蝎梢五戔　右為末糊丸豆子大每服五七丸米飲下

一如腹腫甚者加蘿蔔子

一如脹而太喘氣粗此胃虛水氣乘肺危症也宜益黃散百六三或塌氣丸在上

痞塞 處方 凡脹不通而爲胸中痞塞蓋痞結因熱聚腹中不得宣通上攻胸脇拔之作痛時發壯熱宜用芩連枳梗湯

芩連枳梗湯 枳殼 桔梗各五分 半夏 黄芩 瓜蔞仁 黄連各三分 生姜 麥門

右各味煎服利去黄涎即安熱甚加大黄少許

一氣虛痞塞胸膈留飲寒其腹脇或加脹滿手不可近宜枳實理中凡二百三一去參湯加瓜蔞根瀉加牡蠣

發黄 處方 脹久腹虛停濕生熱熱生黄名曰黄疸治

與太人同有熱者宜小柴胡湯（百九大）加麥芽枳實山楂麯糵
胃弱者宜四君湯（頁八八）或理中湯（七十）加茵陳通用萬金丸
萬金丸（主磨積去黃）蒼朮（二兩）陳皮　厚樸　夜明砂（各二兩）為末
用綠礬（一兩）化水入醋少許煮麵糊丸（或熔棗肉搗丸如菉豆大每服五十丸米飲下）
一方加史君子（一兩）枳實　黃連　訶子（五錢）各（五錢）用巴豆（十粒）同炒令紫
色去豆入蝦蟆灰（五錢）苦楝根皮（二錢半）為丸　治癖消癖（進食止瀉和胃進血）
囊膇　審機　凡陰囊氣結膇大者或鈞痛謂之癩疝有因
坐石冷氣凝之或近地風濕傷之或因啼哭不止致令陰

氣下結水實不行或孕婦哭泣遲緩也兒生下小腸氣閉血水凝聚水上乘肺故先喘而後腫痛有稀軟者有木硬者

治法 一如冷濕者宜滲利之得於血水者宜行之通心氣逐腎邪宜利二便更先補法

處方 坐石風冷者宜五苓散二九一三六風熱囊腫便閉者宜三白散二百三三因於血者宜用桃仁丸

桃仁丸 桃仁三ノ 辣桂 大黄 牽牛 蒺藜 牡丹各二

右爲末蜜丸如麻子大每服五七丸葱白木通清皮入蜜煎湯下或煎流氣飲子二百二四下青木香丸二百二五

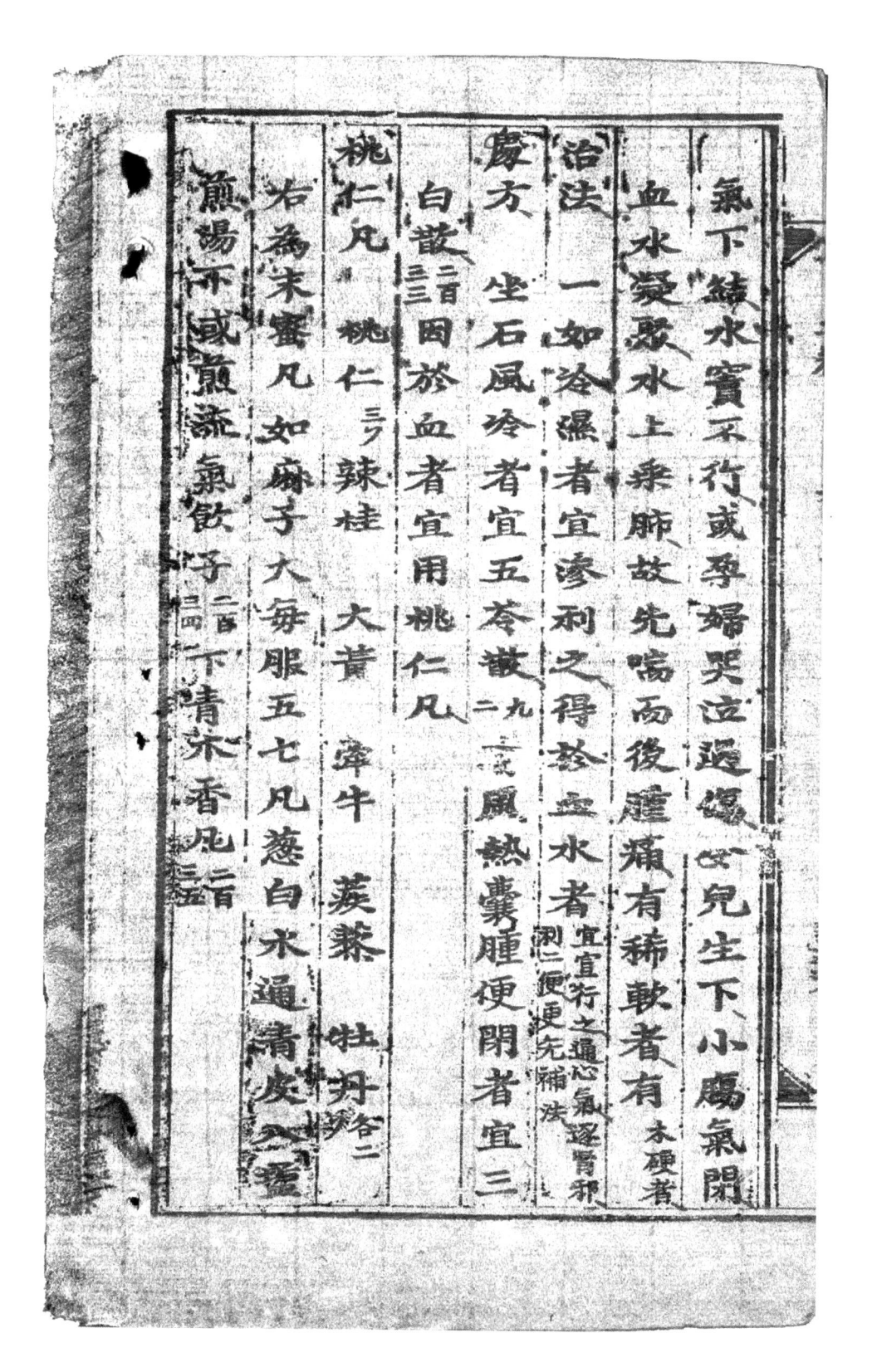

外治方

陰囊腫大、莖物通明、用牡丹爲末、先以津唾塗腫處、次用乾摻之、

一如坐地被風及蚯蟻吹著、囊腫、用蟬蛻煎湯頻洗、或葱白蚯蚓糞爲末、甘草汁調塗、

一如風熱、外腎暴腫且硬、或生瘡者、用生地黄爲末、先以葱椒煎湯、於避風處洗淨、次用津唾調敷、外腎熱者、雞子青調敷、或加牡礪火許、亦與大人病門通治

十二卷終

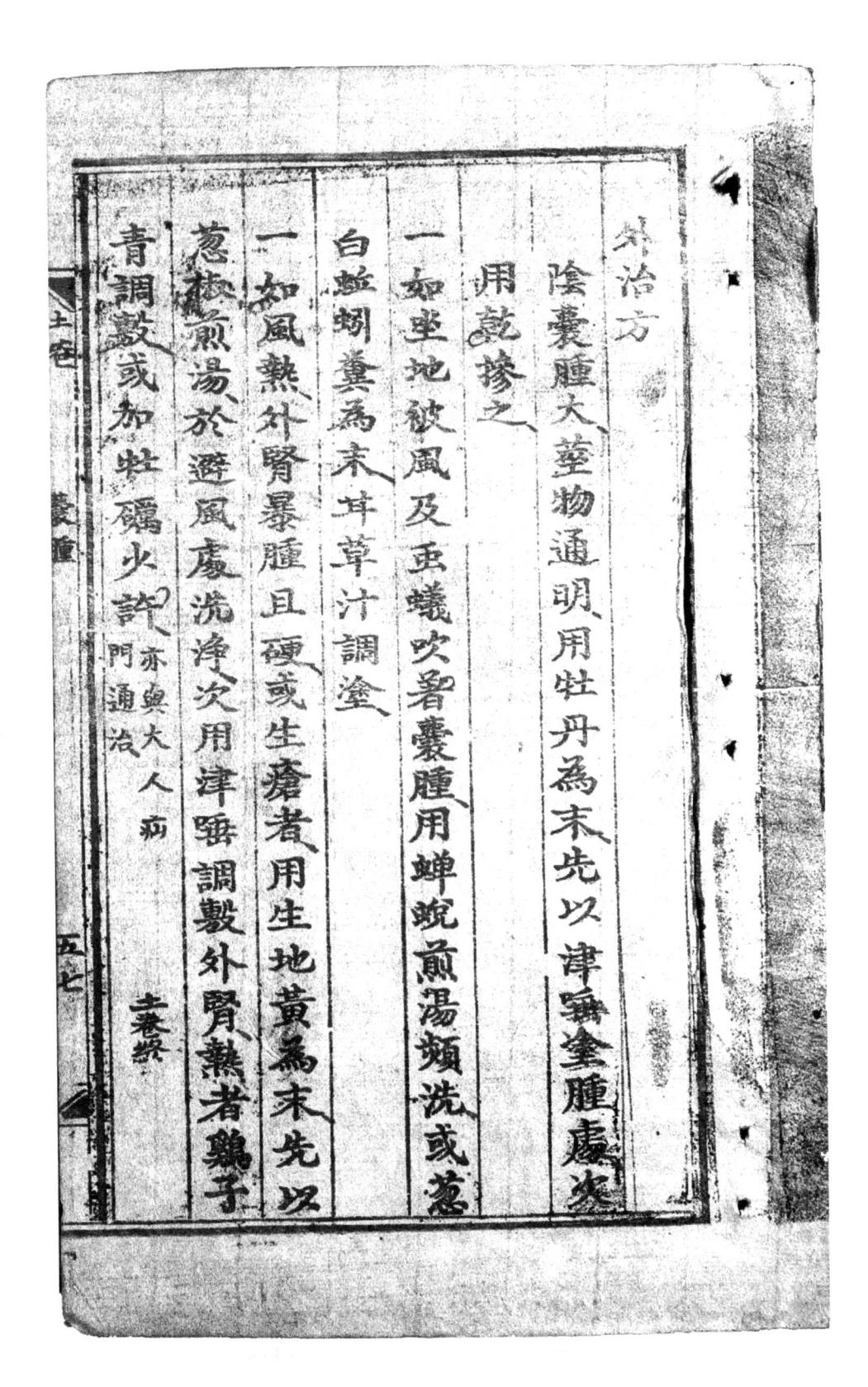

安勇縣同衙題助十貫　被堂寺僧與里長助三貫

美萊總該總陳文慶五陌　奉法社里長梁文圓助一陌

付里梁文遠助一陌黃文奇一陌　境瑞社同社助五十貫

文寧總該總助六陌　安寧社里長黃文衍六貫

廣福社同社助十五貫　里長阮文陳題助五貫

東林社寺具壽題式拾貫

大壯社阮文李題拾貫

新鐫海上醫宗心領全帙卷之三十二

水卷目次

目次終

皇朝嗣德萬萬年歲次庚辰三十三年正月吉日刊刻

板留同人寺

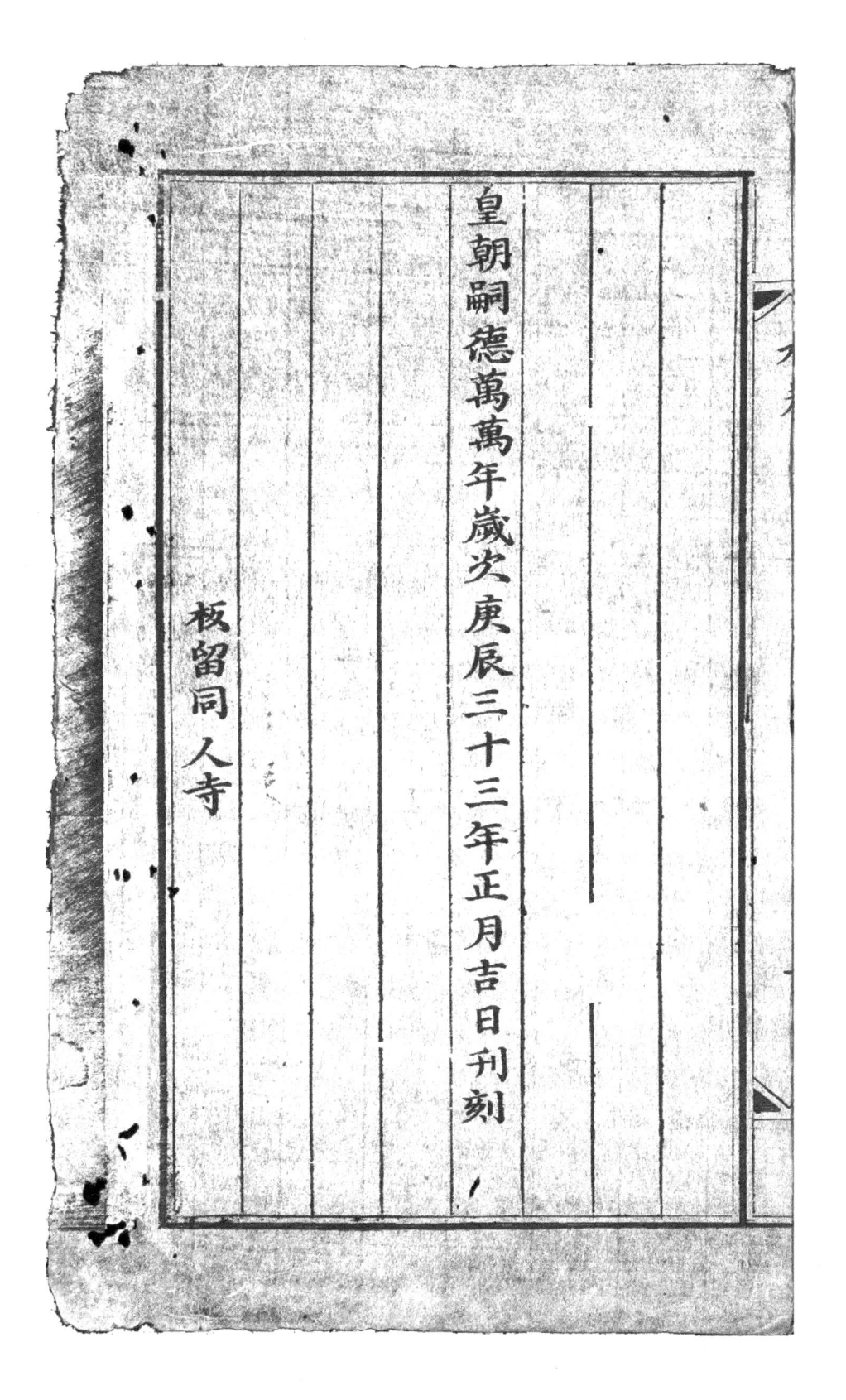

幼幼須知水卷

海上懶翁黎氏纂輯

後學唐鄙武春軒奉較

疝氣

審機

凡諸疝皆因腎虛冷濕寒邪之氣入於膀胱之經留而不散，故陰核腫硬沉墜爲病。

別症

其疝多因𡗝服熱藥以致氣滯於下者故有木腎有腎腫有腎癰有偏墜有㿗疝有奔豚有疝瘕之等症

治法

其治宜先疎利次用逐寒溫臟之藥按穴灸之惟木腎之癰瘡毒之氣入於腎經久則成膿治法外用拔毒之藥敷貼內服消散癰毒排膿利水導滯等藥

處方

歸牛散治疝氣便閉小腹陰囊牽引痛甚便嗽

肉桂　牽牛各五ㄅ　當歸　大黃

桃仁各二ㄅ半　全蝎一ㄅ　每一ㄅ八蜜煎服得利後以

青皮陳皮茯苓木香砂仁甘草生姜煎服以和胃若唇青

者死

金鈴散治疝痛時先曲腰乾啼脚冷唇乾額汗或外腎釣上陰囊偏大

金鈴肉一兩　砂仁七ㄅ半　華澄茄　木香各五ㄅ

右各味爲末每服一ㄅ大者二ㄅ塩少許調温水送下或

酒調服通用葯藤膏魏朮散見内釣

外治方

甚則小便淋澁、陰嚢腫痛者用甘草汁調地龍糞塗之、

如風熱外腎掀赤痛腫日夜啼哭不數日退皮如鷄卵

殻愈而復作者用老杉木燒灰入膩粉青油敷神效、

腹痛

别症

凡小兒腹痛者多因於積於寒於熱於虫也當分類求之、

處方

一積痛者、腹痛、面黃、口中氣温、炙䐢畏食、大便臭者消積、凡

甚者白玉餅 九四 下之、後以錢氏白术散 三六 以和胃 二百一九

一如尋常輕者只用平胃散 二百十三 加山查、麥芽、砂仁、青皮、甘草爲末、每一匕、米飮下、熱加黃芩、寒加吳茱、

一如感熱作痛者、面赤、壯熱、四肢煩熱、口中氣熱、宜四順清凉飮 七百七 加青皮、枳殼、或黃芩芍藥湯 二百二十

一如虫痛者、心腹俱痛、面色皛白、口中吐沫、與癇釣相似、但目不斜視、手不搐、宜化虫丸 二百九 主之、

咳嗽

審機

咳者有聲無痰肺氣傷也、嗽者有痰無聲脾濕動也、咳嗽者有痰有聲脾肺俱病也、清晨嗽者屬痰火、上昼嗽者屬胃火午後嗽者屬陰虛、黄昏嗽者火浮于肺、五更嗽者、食積滯於三蕉、大抵脾氣不足、則不能生肺家之氣、風邪易感、故患肺寒者、皆脾虛得之、患肺熱者多脾寔得之、

凡小兒咳者風熱居多、而寒者少、間或有之、以爲純陽之体

其氣常熱、而不甚畏寒也、凡肥白肌肉者易于感風、色赤而結實者、易于感熱、惟虛弱瘦損面青不實、乃易感寒焉、

○别症

感風而嗽者、必鼻塞氣粗、惟口中覺熱舌燥煩渴面赤頓嗽而膿痰者是也、寒感而嗽者、洒淅惡寒、哮喘不寧、至冬月即發是也、

一肺熱而嗽者、必痰腥而稠、身熱喘滿、鼻乾面紅、手捏眉目鼻面、肺寒而嗽者、必嗽多痰薄、面白而喘、毛慄腸鳴、惡風淡多

一肺寔而嗽者，必頓嗽抱頭，面赤反食，肺虗而嗽者，必氣逆虗鳴，顔白飱泄。

一乳嗽者，或因兒啼未定，吃乳，或飲乳過度，以致停畜胸膈胃口上下於肺，故發咳嗽呃逆，肺胃俱病，百日內見之爲惡候。

死症

一若至唇縮胸陷，喉有鋸聲，鼻乾焦黑，咳嗽氣粗，心腹脹痛者死。

一若嗽久音啞，直視手牽鴉■聲，腹脹喘急多驚者，必變風候而死。

一若齁䶎而喘，聲嘶如鋸，唇面皆青，項下四陷，涎如膠漆，口

生醒臭喘甚脣縮者死

治法

凡此症治與大人無異而所感畧有不同大人兼七情所傷或作勞嗜酒而小兒無是是以不能無異耳藥劑以輕淸爲佳而服藥亦不宜驟遂時進之亦不必盡劑

一痰之標在於脾痰之本在於腎故有宜燥劑以消之者有宜潤劑以化之者在小兒由風寒乳食者居多宜從燥以消之辛以豁之如半夏陳皮前胡之類是也然嗽之爲病雖主

乎肺寔從於心心氣過盛則火盛爍金治當抑心滋肺若脾氣虛冷則不能相生是以肺氣不足風邪外襲痰濕內生治宜補其脾肺若脾寔中痞則熱氣上薰治宜瀉脾清肺

凡「咳卽出痰者脾虛不能勝濕而痰滑也有連咳十數聲不出痰者肺燥勝痰濕也滑者南星半夏之類以燥其脾若利氣之劑所當忌也澁者宜枳殼蘇子杏仁之類以利其肺若燥脾之劑所當忌也

凡因痰而嗽者痰爲重主治在脾因咳而動痰者咳爲重主

治在肺若小兒百日內嗽名爲乳嗽肺葉尤嬌最易傷損更須急治火則血脉貫睛兩眶紫黑或眼白紅赤　如血謂之血眼當用生地黑豆共研成膏掩於眼上則眶黑自消血隨淚出而愈

○處方

一如四時感冒而嗽者宜參蘇飲七九惺惺散六九之類微表之

一如挾熱暴嗽面赤壯熱便閉者葶藶牛黃下之

欵冬五味湯　治小兒火嗽

欵冬花〻二 五味〻二 麻黃 馬兜鈴
杏仁去皮尖各二〻 炙草〻一 水煎服

潤肺化痰膏

大白梨汁一斤 茯苓乳浸研末四兩 麥冬四兩煎取汁 白蜜一斤
川貝母二兩研末 胡桃肉四兩去皮搗爛

右先將梨汁熬膏次將客煉熟入前藥在內再熬成膏如痰有血入童便四兩在內每早空心白湯調半茶鍾頓服

千金方治初生十日卒得欬逆吐乳

生姜七片　桂心二ㄌ　甘草　欵冬花

紫菀各三ㄌ　杏仁　白蜜各一ㄌ　山梔一ㄌ半

右徵火煎如膠塗唇下化

補肺阿膠散治肺虛火嗽作喘

人參一兩三ㄌ　阿膠一兩二ㄌ炒珠　茯苓五ㄌ　馬兠鈴去老梗五ㄌ

糯米五ㄌ　杏仁二十一粒製　甘草四ㄌ炙

右各味粗碎每二錢煎服

喘病

○審機

夫喘病者氣爲火所欝而積痰在肺胃也膏梁之人奉養太過及過愛小兒皆能積熱於下而爲喘咳經曰肺盛有餘則喘嗽上氣皆衝脉之火行於胸中而作係在下焦非屬上也凡飲食勞役喜怒不節及水穀之寒熱感則害人六腑皆由中氣不足故䐜脹腹滿咳喘嘔食

別症

其症因於風痰壅塞者必兼壯熱咳嗽鼻塞頭痛

因於痘疹未出者，必兼驚厥煩燥，身熱足冷。
因於停滯脹滿者，必兼嘔吐惡食，噯臭腹疼。
因於驚癇痰熱者，必兼抽掣搐搦，面青啼叫。
因於痰哮大喘者，必發秋冬暴冷，張口擡肩。
凡喘脹二症相因，並皆小便不利，故喘則必脹，脹則必喘。先喘而後脹者，主於肺；先脹而後喘者，主於脾。蓋脾氣上輸於肺，肺主通調水道也。

虛寔

寸口陰脉寔者肺寔也肺必脹上氣喘逆咽中塞如嘔狀自汗皆肺寔之症右寸陰脉虛者肺虛也必咽乾無津少氣不足以息然寔者肺中邪氣寔也虛者肺中正氣虛也

死症

一如無故喘聲陡發如鋸身不熱而目竄者

一鼻孔腸筋心胸俱爲開脹者

一腹硬青筋口吐涎沫面無神色而唇白者

一諸病小瘥之後忽交子午時喘鳴者

一喘促目忽黑睛出汗印堂青色者

一凡脉濇而手足温者生脉濇四肢寒者死經曰喘鳴肩息者脉實大也緩則生急則死

治法

大抵初喘多屬外因宜從標治華陀云肺盛則爲喘減則爲枯活人云發喘者氣有餘也非言肺氣盛及有餘乃言肺中之火盛及火之有餘也故瀉以苦寒之劑非瀉肺也瀉肺中之火寔補肺也

一如因積熱者以甘寒之劑治之

一如因於內傷者以太甘辛熱之劑治之

金匱云食喘者氣寔肺盛呼吸不利肺竅壅塞寸脉沉寔治宜瀉肺虛喘者氣短腎虛呼吸少氣兩脇脹滿左尺大而虛治宜補腎勿謂小兒無慾腎寔如稟先天不足者尤爲眞虛故寔則清理其上虛則溫補其下此上病療下之法也

一如因病後非子令母虛卽脾肺兩困宜從本治況短氣少氣似喘非喘豈可與喘同治

凡諸喘久而不愈者不妨先用刼藥一二服郎止旣止之後因痰治痰因火治火可也

凡喘而小便不利者由於肺氣受邪而喘失降下之令以致水溢皮膚而腫滿此是喘爲本而腫爲標治宜清金降氣爲主而行水次之如脾主肌肉惡濕尅水脾虛而水濕妄行外侵肌肉内壅溢上因肺氣不得下降而喘乃生此是腫爲本而喘爲標治當寔脾行水爲主而清金次之故肺症而用燥脾之藥則金得燥而喘愈加脾病而用清金之藥則脾得寒

而脹愈甚

處方

人參寧肺湯治小兒肺胃俱寒涎喘氣急不得安眠

人參　五味　茯苓　白朮

陳皮　甘草炙各二錢　姜棗煎服

杏蘇飲治小兒喘急咳嗽不止

杏仁去皮尖炒　蘇子炒　陳皮去白　赤苓

桑皮　腹皮　半夏　炙草各一錢

右各味姜水煎服

清化丸 治肺鬱痰喘

貝母　杏仁　青黛

各等分爲末蜜和丸或姜汁丸含化

定喘湯 治肺虚感寒氣遊膈熱而作哮吼

白菓十二枚去殼切碎炒黄　麻黄　半夏姜製

欵冬花　桑皮蜜炒各三钱　蘇子　杏仁各二钱一钱

黄芩一钱半　甘草一钱

水三鍾煎存二鍾分二服不用姜不拘時徐服

一小兒因啼叫未定便與鹹酸以致氣逆不下或因飲乳過度內挾風冷傷肺而喘齁鮐呃逆者宜紫蘇子湯

紫蘇子湯

紫蘇子　訶子　蘿蔔子　杏仁

木香　人參各等分　甘草　陳皮各半錢

右各味水煎服

哮病

審機

夫哮者以聲響名喘者以氣息言耳肺爲聲音門戶腎爲聲音根本出氣於肺納氣於腎也總是痰火内欝風寒外束而然亦有過啖鹹酸邪入腠理而致也

别症

哮吼者喉中如拽鋸若水鷄之聲者是也如氣促而連屬不能以息者即謂之喘喉中如鼾聲者爲虚如水鷄聲者爲寔

治法

丹溪曰治哮必用薄滋味專主於痰宜大用吐藥吐藥中宜多用醋不可純用凉藥兼當帶表散蓋此是寒包熱也亦有虛而不可吐者慎之治法須知其新久虛實可也

處方

錦囊治一小兒哮喘大作因誤用滚痰凡利之甚至潰汗危廹乃以人參一ク麥門一ク五味七粒肉桂三分水煎服病頓減而復作此陰未配陽也又以八味加麥門牛必五味每劑倍用熟地五ク大桂附四分水煎冷服而安但有勞力運動喘聲微有此

未還元之故也又以生脉飲調理三四日精神全復

貝母膏治風熱哮症

玄參焙　山梔炒　花粉焙　川貝母

枳殼　橘皮　百部焙　黄芩

杏仁　桔梗　粉草各五リ　薄荷淨葉七リ焙

右各味爲末蜜丸如彈子燈心湯或淡竹葉湯化下

一方治寒包熱而哮喘者必用發散

橘皮　半夏　枳殼　桔梗

黄芩　紫蘇　麻黄　杏仁
甘草　各等分水煎服如天寒加桂枝少許
痰哮方
青瓜蔞箇二　白礬ヿ五
爲末将瓜蔞打碎入明礬在内置新尾上陰乾爲調少許
嗽後含下郎愈
五癇
審機

一癇者惡症也總因氣血不歛神志未全或爲風邪所傷或爲怪異所觸有浣衣夜露純峰落羽所汚或因妊娠恨七情驚怖所致或因在母腹中神氣尚弱或聞大聲或遇大驚則神不守舍舍空則痰涎歸又或因生後乳哺失節停滯於經絡積爲痰歛皆能爲此症書云畜氣而作搐結氣而成癇又書曰吐虛成慢驚瀉虛成慢脾吐瀉虛而成陰癇若壯熱驚搐者是爲陽癇故其所發必在勞役之後腦怒之因火升卒然仆倒心雖爲君主虛靈致此有邪停滯而靈氣不能爲之用矣可見火起本於腎邪滯在於心

邪者卽火升水泛非外入也治者宜固腎調心斯爲要道

別症

小兒曰癇大人曰癲故通稱曰癲癇仰卧屬陽覆卧屬陰其病始發身体卽熱抽掣啼呌面色光浮脉浮爲陽癇腑症易治如身不發熱口不啼呌面色暗晦手足青冷而不抽掣脉沉爲陰癇臟症難治書曰慢驚眼必開慢脾眼必開陰癇眼必半開半合陽癇眼必半鮮半青而竄

其症有五曰驚癇心症也屬羊面赤目瞪吐舌煩燥恍呌脉洪緊曰風癇肝症也屬犬面青目

上竄手足彎掣屈搐如數㽷熱上壅唇面背青脉洪弦　曰食癇脾症也屬牛面黃脹悶直視四肢不收脉浮緩

曰癲癇肺症也屬鷄面如枯骨吐沫目白反視心神昏亂躁動脉微濇　曰尸癇腎症也屬豬面黑晦振目

視人吐清沫不動如尸脉沉

一云其候眼直目牽口禁涎流肚膨發搐項背反張腰脊強直形如死狀若終日不省則為痓矣若面色變易不常見人蓋怕此是挾邪怯耳四肢柔軟發而時省謂之癇如四肢強硬終日不省此是痓痓非癇也

治法

一如眉間青黑者吐利不止者胸陷聲絕者心下脹起者並不治

一如諸癇不能言是風傷於氣致掩其音或血滯於心氣不通達當分陰陽寒熱別臟腑虛實而治之

一癇症初發須看其耳後高骨必現青紋紛紛如線急宜抓破出血令兒啼叫數聲使得通氣為妙

一小兒如有痰熱胸膈煩悶不欲乳哺昏睡不安常作驚悸此即發癇之漸須為預治

一五癇皆先天不足而成須從根本處調補之不可妄加尅伐清熱化痰復傷元氣則必不時舉發久而變危多致不救

一驚癇者陽症也係是邪氣在心血滯於竅毅積驚成癇治宜先為通行心經調平心血順氣化痰風癇者卽陽症也或汗出脫衣風乘虛入故成搐掣等候治宜先為散風一云風癇乃痰火所致由熱甚而風燥所薫致也凡熱生風風生燥食癇亦陽症也是因肆餐無度或乳哺失節停滯宿癥結成乳癖於經絡脾胃損傷不能消化五穀必大便酸臭先寒後熱是也治宜先為消食養脾次以定癇等劑主之如因治不早必傳五臟而為諸癇

又陽癎則身熱抽掣啼叫仰卧面光脉浮病在腑易治切忌温藥

若發時面暗手足冷脉沉遲爲陰癎病在臟難治凡癲癎尸

癎俱屬陰症不可妄投凉藥風癎是先天不足宜於水火之

穴宅求之爲至法陰癎則身冷不掣不啼伏卧病在臟難治

切忌凉藥

處方

一治諸癎症乃係先天水火病宜河車凡二百八十八味凡一百八十七

久服方愈或間以十全湯一百九兼後天氣血切不可妄行尅

伐自取敗耳

鈎藤湯 治諸癎症

橘皮　鈎藤　胆星　天麻

殭蠶　人參　遠志　犀角

石菖蒲　燈心 各等分　水煎臨服加牛黃珍珠末

凡治五癎各隨臟治之每臟各有一獸之形通用五色丸 二百

四二 仍參以各經之藥

一 如面赤目瞪吐舌齧脣心煩氣短其聲如羊者曰心癎血

虛者用養心湯二四發熱飲冷爲寔熱宜虎睛丸八九發熱飲湯
爲虛熱用神砂妙香丸百四十
一如面青唇青兩目上竄手足彎掣反折其聲如犬者曰肝
癇肝之虛者宜地黃丸百八六抽掣有力爲寔邪宜柴胡清肝
散百三十若大便不通宜瀉青丸三九
一如面黑目振吐沫形體如尸其聲如猪者曰腎癇宜地黃
丸百八六河車丸二百八之類腎無瀉法故從虛治之
一如面如枯骨目白反視驚跳反折搖頭吐沫其聲如鷄者

曰肺癇肺氣虛者宜補肺湯十六面色痿黃者土不能生也宜五味異功散百十八面色赤者陰火上冲於肺也宜地黃凡百八六

一如面青瘦黃目眶腹滿自利四肢不收其聲如牛者曰脾癇宜五味異功散百十八若面黃瀉利飲食少者宜六君子湯一百三加木香柴胡驚癇者抱金凡一九茯神凡六二錢氏養心湯五神砂妙香散百四十清神凡四四虎睛凡八九之類

一風癇者錢氏牛黃凡一百七消風凡三二百六星蘇散一百十

一食癇者宜妙聖丹見下

凡發時風痰困倦半晌而甦累年頻發者用肥厚紫河車生研
爛入人參當歸末搗凡如梧子大每服三十五凡日進三五
次乳化下又佐以八珍湯（百十九）
凡發驚癇令其恣飲人乳後發漸踈而輕若再發亦用紫河
車凡（二百八）數具量用加減八味凡（七百八）若再發手足厥冷仍
用荊法佐以八味凡（七百八）十全大補湯（一百九）
凡患此皆元氣不足之症也須以紫河車凡（二百八）為主而以
補藥佐之如補中益氣湯（三九）六君子湯（一百三）六味凡（六百八）八

味凡七百八之類設若汎行尅伐復傷元氣則必不時攀發而變危也

一如小兒二十[redacted]重驚癇宜用三癇凡

三癇凡

芥穗二兩　白礬一兩半生半枯

右二味爲末糊凡如米大硃砂爲衣每服二十凡姜湯下

一如心癇面赤目澄吐舌心煩驚悸宜金箔鎮心凡或鎮心凡二百三七

金箔鎮心凡

遠志　雄黄　鉄粉　琥珀

神砂各二錢　麝香五分

右各味爲末用棗肉爲凡如菉豆大金箔爲衣每一凡麥

冬煎湯下

一如肝癇面青目上竄手足拳抽攣掣反折宜散風丹

散風丹兼治痓痙

胆星二錢　羗活　獨活　防風

天麻　人參　荆芥　細辛

川芎　柴胡各一

右各味爲末蜜丸梧子大每服二丸大者三四丸用紫蘇煎湯下

一如脾癎面黃直視腹滿自利宜妙聖丹

妙聖丹

代赭石　雄黃　蝎稍　神砂

杏仁各等分　巴豆二十粒

右各味爲末用棗肉爲丸如梧子大每服一丸杏仁湯下

一如肺癇面白反視驚掣吐沫潮涎用天星凡

天星凡

天麻一刄半　胆星　全蝎　蟬蜕各二刄

防風　白附各二刄　殭蚕一刄半　麝香五分

右各味爲末棗肉凡菉豆大每服三凡荊芥生姜煎湯下

一如腎癇面黑陷振目視人口吐清沫如尸不動宜腎癇湯

腎癇湯

獨活　麻黄　川芎　大黄

甘草各六分　　　　　　　　羌煎服

一如風癇小兒氣血未歛氣骨不聚爲風邪所傷屈指如數有熱生痰宜先用疎風煎　後用清痰散有熱宜安神定搐用散風丹上見

一如驚癇因驚也駭怖積驚啼吽恍惚宜先治驚然後清三焦去熱化痰宜紫石散一十或定魄凡

定魄凡

一如痰火作癇者宜吐痰瀉火安驚用紫霜丸四九蝎稍煎湯

下或醒脾散見急驚條爲丸服

急驚三癇丹

蜈蚣條一　南星ク二　全蝎　防風

遠志　白附　蘆薈　玄胡

神砂各一ㄌ　麝香一字　金銀箔各三片

右爲末糊丸梧子大每服一丸紫薇菖蒲煎湯下

一治陰陽癇

代赭石火煅醋碎爲末每服五分金銀煎湯入金箔少許調下

一如血滯心竅邪氣在心積驚成癇故以調平心經氣血豁痰爲要也通用猪心丸二百二三或竹瀝丸每一丸空心湯下

竹瀝丸

白术蜜炒　厚樸甘草水煮各二ㄌ半　附子

犀角各一　全蝎七个　每个用薄荷葉裹湯泡炙黄爲末

右散末竹瀝爲丸如黑豆大每服一丸金銀薄荷煎湯隨兒大小加減化服

一治癇後瘖不能言者用南星濕紙煨香爲末每一字雄猪胆汁調服

一治癇後復作者用斷癇丹四百丸

一治久癇氣血不足者宜活虎丹一二

瘂痓

審機

痙痓者雖似於癎而寔更重於癎也經曰陽氣者精則養神柔則養筋過汗則亡陽陽亡則不能養筋而爲痙痓也經曰肺移熱於腎爲柔痓夫肺主氣腎主骨有因傷寒四五日寒已伏內而爲熱熱移於肺肺爲腎母故傳於子腎又傳子而熱移於肝是以筋骨受熱乃遲緩不收手足無力而爲柔痓矣

別症

其症有二發時譫語面紅眼赤摇頭㾴瘲牙緊手張項背彊

亘痰涎壅盛口噤昏憒煩渴小便赤澁身熱無汗惡寒名爲剛痓

凡大便滑瀉不語不渴手足冷而復身熱汗出而不惡寒終日不省曰柔痓

凡譫語口乾痰涎煩渴大便滑瀉手足微寒此乃剛柔不分之症凡攣身彊亘譫語昏瞶反張終日不省此爲痓爲剛如手足氷冷而無力大便滑瀉不語不渴此爲痓爲柔皆爲至重十難救一

治法

經曰諸暴強直皆屬於風諸痙項強皆屬於濕此不可以散風發汗爲治也

凡剛柔不分之症治法須順氣消痰痰消則風散氣順則神清又如發熱無汗此爲表寔治宜汗之發熱汗出是爲表虛此不可汗若再汗之必致亡陽

一治諸痙痓宜用鈎藤湯見五滴條

一如先譫語而發者爲剛痓當發汗宜麻黃葛根湯三百五

一如先肢冷而發者爲柔痓當觧肌宜理中湯三二 三百三 生飲三百 通用斷癎丹九百四 小續命丹十六

癲狂

審機

書曰多喜爲癲多怒爲狂又曰重陰則癲重陽則狂是也癲狂者似癎非癎似痓非痓痓發則異常

別症

癲者或啼或哭乍喜乍悲狂者妄言不食而歌欲棄衣而走

如嚼舌吐沫或作猪羊等聲發而身軟時醒者此亦癇症也非狂也盖狂者與癇相類耳

治法

五癇痓痙癲狂等症名雖異而源則同並宜急治如少緩之則風涎流滯經絡而不退必致損傷於心心傷則神去神去則死縱僥倖於萬一則亦必語滯少神已忘其志而為廢人矣然此症多在大人小兒少有

處方

鉄粉凡 治癲發不時煩悶吐沫

龍齒　輕粉　天麻 煨　胆星 炒各三錢

牛黃 一錢　没藥 二錢　麝香 五分

右各味臘日或端午日爲末用水凡荊芥湯下合時與取

水時切忌婦人與猫犬鷄等見之

斷乳法

凡小兒二三歲時或因母病或因母懷胎或兒病欲斷乳者

宜用畫眉膏法則可止也

扁眉膏

山梔三个炒黑　雄黄　硃砂　輕粉各少許

各爲末調清油候睡著濃沫扁皃兩眉上醒來自一不喫乳

未效仍墨塗乳頭

溼痺

審機

此因霧露所傷溼氣存於腠理故覺疼痛因寒極生熱則煩

溼氣不散則悶

别症

濕痺者症似痙候其脉沉細關節疼痛而覺煩悶者是也更有大便快而小便閉舌有白胎是因濕氣下行故瀉陰陽不分故閉丹田有熱胸中有寒濕熱薰蒸故有白胎耳

治法

治宜利其小便以宣泄腹中濕氣若誤下之則額上汗出微喘發歲而死

處方

五苓散 主分利溼氣

茯苓　猪苓　澤瀉　白朮各等分

肉桂半減　水煎服

頭瘡附白禿

審機

頭瘡乃臟腑不和之氣上冲血熱之毒上注小兒脹氣未足陽火有餘故最多犯之

治法

宜內服連翹荊芥防風花粉貝母玄參生地牛旁赤芍以清涼解毒涼血之劑俟毒氣少解方可用外藥敷之切不可驟加寒涼阻遏以致熱毒內攻不救蓋小兒嬌嫩臟腑易八而難出也

處方

連床散治滿頭癩瘡及手足身陰器囊膚抓爛淋漓

黃連ㇷ五　蛇床子二ㇷ五倍子一ㇷ二分輕粉二十五貼半

右各味爲末先以荊芥葱白煎湯洗拭候乾清油調傳

香需煎 治小兒白禿不生髮燥痛

陳香薷二兩　胡粉一兩　猪脂五分

水一大盞煎香需取汁三分去滓入胡粉猪脂和勻塗上

日頻用之

目病

審機

經曰目者五臟六腑之精也榮衛魂魄之所常營也又曰諸脉者皆屬於目、目得血而能視、眼肉所屬五色所屬

白睛屬肺、黑睛屬肝、瞳人屬腎、上下胞屬脾、兩眥屬心、內眥屬胆、與三焦上綱屬太陽膀胱小腸、下綱屬陽明大腸、

心主赤、（赤甚實熱 赤微虛熱）肝主[redacted]青、（青甚實熱 青淡虛熱）脾主黃、（黃甚脾熱 黃淡脾虛）

若目無精光、白睛多、黑睛少、脉腎俱不足也、昼視明夜視暗、此陽衰也、夜屬陰至夜陰盛陽愈衰、故不能視也、

如赤脉翳物、從上而下者屬足太陽、從下而上屬足陽明、若上眼皮而下出黑白翳者、屬太陽寒水從外至內者屬少陽風熱從下至上而色綠者、屬足陽明、及肺腎合病也、

別症

一雀目者上午能視臨晚失明此肝氣衰弱也蓋木生於子旺於卯絶於申也且目得血能視午後肝氣漸衰也

一㾬眼者因肝火濕熱上冲脾氣有鬱不能上升清氣故生白翳睫閉不開眼淚如濃遂致損目睫音接目旁毛也㨗夾目睫而相接也

一若風沿爛眼者是膈有熱也

一若時時作癢而濃潰者生虫也

一若眼瞼連劄者是肝經風熱也

一若初生目黃壯熱二便秘結面赤眼閉者此胎熱也
一若痘症精血既虧餘毒上侵及瘢瘡入眼者有視物不明
不腫不痛但見黑花而無精光者此肝腎皆虛也
一更有熱毒而眼赤者有積毒而眼赤者有時氣流行而睡赤者
一如吐瀉後而眼上膜不能開舉及無精光者此精滋已脫
元神已去不治之症也

治法

凡治疳眼宜養血氣理脾胃爲主有因過服寒涼之藥而目

閉不能開此陽氣下陷宜升舉之有因胃氣衰損眼睫無力
亦宜升陽益胃更有暴赤腫痛風火熾盛者有因多淚羞明
肝心積熱者一宜疎風散火一宜凉血清肝
一如外無翳膜内障如雲視物不見俗名青盲者若非腎水
枯涸則必久病成痹脉洪大者養血爲先脉沉細者補陽爲
上蓋如天無日色雖有火鏡何能使晶光相射乎
凡治法總忌寒凉及單行發散蓋寒則凝熱則竹而風則燥
耳况目病雖由火熱然多因風寒初感腠理閉密火熱不得

外泄，上走空竅而爲病，若散其外感，則火熱泄而痛自止，兼之凉血養血，退翳諸劑，必兼風藥，始能上達頭目。

更有以目疾，血瘀血熱，而投以破血凉血之劑者，或投以寒凉損脾之劑者，皆爲不可。蓋脾爲至陰，當明於目，况得血而能視，血少則熱火愈動，而目愈昏。夫血者木之精脉也，精光者木之華葉也，脾胃者木之根本也，故莫若以上病治下之方，如八味地黄也。服於食前，峻補其肝腎，則濁陰降而上熱自除，下陰足而目光自返，陷翳自浮，氷翳自化，倘翳膜過厚者，只以

養榮藥中佐以消障疎風之藥服於食後則標本俱得其功

上下咸受其益矣

○處方

生犀散治小兒目內淡紅者心虛熱也

犀角　地骨皮　赤芍　柴胡

葛根　甘草　水煎食後服

還明散

草决明ㄋ炒二　白蒺藜四ㄋ炒去刺　防風ㄋ二

右各味爲末用猪肝一塊竹刀薄剖入藥在内飯上蒸熟
去藥食之
龍胆飲 治痘眼流膿生翳此濕熱爲病也
羗活　龍胆 各三ㄋ　青蛤粉 五ㄋ　黄芩 炒二ㄋ
蛇退 五分　麻黄 二ㄋ半　穀星草 五分
右每味爲末每服二錢茶清下
一方治暴發赤眼腫痛
羗活　荊芥　升麻　黄芩

桔梗　　　甘草　　　薄荷　　　歸尾

赤芍　　　連翹　　　川芎各等分　水煎服

如血熱壅痛者加龍胆草石羔白睛紅障者加桑皮菊花煎服

洗眼神方

黄連七分　當歸一ワ一　郁李仁一ワ一打碎　荊芥八分

杏仁七粒去皮尖　防風一ワ一　胆礬　明礬各三分

右各味水煎温服浄目避風

又一方治目痛星障俱效

樸硝一ㄗ　綠礬一分　用紅棗七个去核八藥水一
大碗鍋中水亦一大碗隔湯煎水乾爲度露一夜用
一方治瞳子散大
山茱　杞子　山藥各二兩　丹皮一兩
熟地四兩　澤瀉五ㄗ　五味七ㄗ　當歸二兩
右爲末蜜凡如圓眼大白湯下
一方治倒睫拳毛　用三稜針出血立愈
又法用木鱉子去殼爲末綿裹塞鼻孔左眼塞右右眼塞左

猪肝散錦囊秘方治𤻲積眼合不開翳障遮睛

穀星章四分　石燕四分煆醋淬　紫口蛤蜊一錢煆研

用不見水雄猪肝以竹刀剖開納藥入內飯上蒸熟去藥食肝

雄鷄肝散錦囊秘方治𤻲積初起紅障

雄黃一錢　石羔一兩煆

右二味共爲末雄鷄軟肝一个酒釀頓熟蘸藥餞餘食之

馮先師因患眼痛食前吞八味凡加牛膝五味外用黃連錢

餘入青銅分許煎濃汁洗淨兩三次俟紅障少淡再入人參

二三錢於內温和洗之而愈

○耳病

審機

耳者宗脉之所聚腎氣之所通也有小兒腎經氣寔其熱上冲於耳遂使津液壅而爲膿或爲清汁然則手厥陰之與足陽明手少陰之與足太陽爲症尤甚

別症

其見症者則有五焉鳴痛聾腫停是也而停耳之名更有五

般由於寔熱腎氣有餘積熱上冲津液壅結故成停耳一曰停耳、常出黃膿、二曰膿耳
常出紅膿、三曰洹耳、耳內痛臭、四曰纏耳、常出白膿、五曰囊
耳、耳內虛鳴、時出青膿、
其源則有六因爲、因陰虛、因痰、因火、因氣閉、因肝風、因胎元
是也、
一因於陰虛者、其候手足心熱、體瘦色黑、口渴腸燥、兩尺脉大、
時或作癢、耳聾及鳴、
一因於痰者、其候氣壅、口燥、不痛而癢、體重、脉弦、耳鳴停耳

一因於火者、或暴怒之下乘、或情慾之自肆、或因有餘之火、或因不足之火、故耳見聾及痛、
一因於氣閉者、有因怒傷肝、痰生於火、或因一時卒中、或久病氣虛、故耳聾及鳴、
一因於肝風者、有因火壅上焦、忽作大痛、或流或脹者、或肆食肥甘、縱怒縱酒、濕熱相乘、故耳腫及痛、
一因於胎元者、由父母不謹、故先天火毒攻冲、膿臭流處成瘡、四旁腫赤、時發時愈、

叓有外三因焉因風入腦停滯於手太陽之脉則令氣壅耳聾

一因風濕則令耳瘡　一因有涷耳虫傷撥提之類

一因以手指月遂使兩耳之後生瘡名曰月蝕瘡

○治法

停耳之名雖異總由積熱上壅或風水入耳所致若不速治久則成聾法宜清火養血或去濕化毒

一如陰虛則治宜疎肝滋陰　一如因痰治宜二陳竹瀝之類

一如因火治宜芩連歸芍之類

一如因肝風治宜平肝除熱踈風之法
一如因氣閉治宜舒鬱調血外用導引宣通之藥
一如因胎元治宜化毒滋陰之法
一如外因者並從外治之
一更有耳根及牙床腫痛者屬上焦風熱陽明少陽二經受病治當清胃佐以辛凉而散之寔熱感者酒蒸大黄微利之
一如病後耳聾者是血枯而氣弱也宜用地黄丸六百八
一如耳中忽作痛如虫在內奔走殊疼或出血或出水或乾

痛不可忍者用蛇蜕燒存性爲末入鵝管吹之立止取蛇之善脫以解散鬱火

○處方

龍骨散主治耳膿

枯礬　龍骨煆各一ㄅ　黄丹ㄅ二　胭脂ㄅ一

麝香許少　海螵蛸五分

右各味爲末以綿　捩去膿水一用　字摻在耳内日一

用之勿令風入

犀角飲治風熱上壅耳門腫痛膿水流出

菖蒲　犀角　赤小豆　赤芍

木通　玄參　甘菊各一　甘草五分

右各味毫水煎服

○滋陰腎氣丸

熟地　五味　歸尾　丹皮

山藥　柴胡　茯苓　澤瀉

生地各等分　蜜丸神砂爲衣白湯下

○益腎散治腎虛耳聾

磁石製　巴戟去心　川椒製一兩　沉香

石菖蒲各五

右各味爲末，每服二錢，用猪腎一枚，切細，和以葱白、食鹽少許，并藥，濕紙十重裹煨，令熟，空心嚼，酒送下。

停耳方　治風熱搏之，津液結鞕，或五爛、勵，膿耳，久成核，塞耳。

生猪脂　地龍

右二味研細，以葱汁和，湼如棗核，綿裹入耳，令潤，挑出。

一方　橄欖核燒灰　麝香少許，吹入耳中，如凍耳，用清油調傳。

一方　寒水石（煅）爲末麝香（少許）吹入耳中

一方（治耳爛）貝母爲末輕粉各少許乾掺之

一方（治小兒耳後生瘡名日月蝕瘡）

黄連　枯礬　糊粉　蛇床子

各等分爲末敷之

一方（治諸虫入耳）椒末一醋半杯浸良久少少滴入自出

一方　桃葉一把打爛塞于耳內亦出

一方　麻油少許灌入耳中自出

一方　生羌生葱生韭各少許取自然汁滴入俱可如臭虫入耳猫尿滴入自出

鼻病

審機

鼻為肺竅經曰天氣通於肺若腸胃無痰火積熱則平常上升皆清氣也肺家有病則鼻不利如傷熱之不散或傷寒之久欝成熱皆能使欝塞而不利經曰陽氣和利滿於心出於鼻故為嚏凡向日而嚏者金畏火也傷風多嚏者火欝於肺

也㩳孔卽嚏者金叩乃鳴也

别症

一鼻鼽者乃風邪客于皮毛津液不收致流清涕頭楚若鋸是也

一䐉漏者鼻流清水而不痛爲寒流黃水臭而痛者爲熱是也

一鼻乾者乃金不生水六陽虛火上升也

一鼻淵者乃胆移熱於䐉䐉熱汨於額中是以鼻額痠痛涕下不止如彼水泉是也　鼻齆寒邪未盡虛熱漸熾膿血結聚不聞香臭

一鼻皻者乃熱血入肺爲寒所拂而污濁凝滯是也
一鼻痈者乃風濕之氣壅成內熱或因氣痈故鼻下兩傍瘡濕痒爛不痛汁所流處卽成爛瘡俗名鼻䘌是也
一鼻肺風者乃鼻生紫赤刺癮疹是也
一鼻赤者乃肺中積熱六陽上蒸而成是也
一鼻衄者乃心肺胃蘊熱過極迫血妄行上干清道是也
一鼻贅者乃熱湿之氣外欝皮毛內應太陰故三焦之火得
以上蒸爲鼻生贅如灶火上突而成煤是也

一鼻瘜者乃胃中食積熱痰流注是以上燎而鼻生瘜肉猶濕地得熱而生菌是也

及乳母夜醞吹兒顖門則停寒顖户津液不收而多涕若冷久不散則膿滯結聚使鼻不聞香臭

治法

一如平人而多滌或黄或白或带如膿状皆腎虚所致不可過用凉藥

一治鼻瘜宜利膈去熱切勿因礙傷動否則便成鼻痔矣

一如腦漏宜用内服清利胆熱外於顖會通天二穴灸之

處方

菊花散 治鼻塞

甘菊　防風　前胡各五ㄗ　白芷二ㄗ

細辛　桂心各二ㄗ半　甘草一ㄗ半

右各味爲末臨臥荊芥煎湯服

宣明防風散 治鼻淵濁涕

黄芩　炙草　人參　川芎

麥冬各五ㄗ　防風二ㄗ半

右各味爲末每服二錢百沸湯下

茜根散治衄血不止　茜蒨蒐切音倩染絳之草一名茅蒐一名地血一名牛蔓一名茹藘

阿膠炒蛤粉　茜根　黃芩各一錢　生地

側栢葉各一錢　炙草五分　水煎服

一方治鼻衄

山茶花爲末童便羗汁酒調下　有方加鬱金者

一方大蒜擣泥隨左右貼足心

又法　左鼻衄以線札左手中指右如之兩鼻衄者雙手札

輕黃散 治瘜肉

輕粉ㄗ一　雌黃ㄗ五　杏仁一ㄗ 皮尖去　麝香 許少

先將杏仁搗成泥餘藥研細匀收磁盆蓋定夜臥點米粒

於鼻中夜一次

一方 治赤鼻酒齇 齇音查鼻上皰也

黃栢　苦參　檳榔 各等分　爲末猪脂調敷

一方 消鼻痔

瓜蒂 炒　甘遂 各ㄗ四　枯礬　螺青 炒

草烏尖炒各五分　右各味爲末麻油和凡如鼻
孔大將藥納鼻達痔肉上其肉化爲水一日一次
一方　治鼻下一道赤者名曰䘌以黄連末敷之
開關散治鼻塞
香附　川芎　芥穗　細辛葉
猪牙皂角　殭蠶各五分
右各味爲末入葱白擣成膏用紅帛感夜貼顖門
川芎膏治小兒鼻塞鼻塞則不能吮乳亦宜緊治

川芎　細辛　藁本　白芷

麻黃　甘草　杏仁　龍腦

羌活各等分　麝香少許

共爲末蜜丸如梧子大用新綿裹一丸塞鼻孔男左女右

牛黃犀角丸治嬰孩肺壅鼻乾

牛黃　犀角　川芎　升麻

細辛　麻黃　甘草　硃砂

龍腦　麝香　爲末蜜丸芡寔大荊芥湯下

唇口病

審機

唇本脾之外候、然足陽明之脉亦起於鼻而環於唇、

别症

凡唇腫者乃因停滯傷脾必外見氣粗唇堅而發腫

一蠒唇者乃因傷寒或發驚後、是以稜眉骨痛厥熱眩悶氣穢頤浮、或舌葘或齒擊或狂逆則又色白睡甚、

一胃爛唇梟者乃胃傷極而唇靡壯熱穢甚見痘者、此症十救一二

治法

一如風寒下乘唇清帶白者宜温胃驅風

一如吐後而唇白者治宜養胃調氣

一如怒氣上冲唇青者治宜順氣平肝和胃

一如唇口蠕動者脾虚不能收歛也若誤治爲痰則津液愈枯筋脉失養抽掣諸候來矣蠕而宜切輭平聲微動貌荀子蠕而動又音胥義同

一如口瘡者心脾蘊熱也小兒陰氣未生陽熱偏感又因保養過温心脾積熱蒸於上而成瘡治宜瀉心化毒清凉爲主

若月内生諸病而口無涎沫者𠙴

處方

千金方 治口舌一切諸瘡

升麻　　䕷干各三兩　栢葉一斤　苦竹葉

地黄汁五合各　大青二兩　生玄參汁三合　墻薇根白皮

生蘆根五兩各　赤蜜八合　水四斤先將藥煮至一斤去

滓八玄參汁再煎下地黄汁各煎　再沸下蜜煎濃妥舌

上細嚼嚥下

一方治小兒心有客熱滿口生瘡　天南星爲末醋調貼脚心

又一方　吳茱萸爲末米醋調塗俱效

又一方治口角瘡爛　亂髮燒存性爲末猪脂調塗

喉病

審機

咽喉者一身之總要、水穀之道路也、若胸膈之間蘊結熱毒、致生風痰、壅滯不散、發爲咽喉之病、

別症

其症或內生瘡杖如肉腐窒塞不通吐嚥不下
一如單肉蛾雙肉蛾及痄腮腫脹等症甚者內外皆腫上攻
頭面喉痺者即纏喉風類也其候面赤氣粗咽喉腫閉乃畜
熱生風積聚毒痰而作
一更有臟寒令人咽閉而吞吐不利者大抵無形腫閉者爲
痺有形腫閉者爲蛾
凡喉痺甚至內壅肉瘤一塊氣閉不通着至鼻面青黑塞噎
頭低痰膠聲鋸者不治

治法

治宜先吐風痰以通喉膈然後解熱毒清肺胃遲則不救

一治單雙肉䗲可針卽針有不可針者亦用吹點刼藥吐去

風痰以圖捷效次服煎劑蓋急症難於久待也

一治痄腮腫脹者重則磁鋒刺出惡血輕則或塗或點次投

湯劑散風清熱解毒消痰自愈也蓋諸症下寒過極則上熱

反盛不獨此也其喉痺與前䗲症相近而治法不能無異急

則治標緩則治本至於上熱下寒者用熱藥食前冷服之不

可誤服凉藥也、疪音茶合也疪疪病甚也又音鮮疪疪瘡不

處方

牛旁子湯治喉痺

牛旁　玄參　升麻　桔梗

犀角　黄芩　木通　甘草

右各味等分水煎服

化毒湯鮮風熱上攻咽喉腫痛

桔梗半二ㄅ、　蕏荷　荆芥　甘草

山豆根各一ㄅ半俱炒爲末　牙硝　硼砂

樸硝　雄黄　硃砂各一ㄅ俱不見火研細

右各味和匀乾傅舌上或温濃茶調塗少嚥下亦可

雄黄解毒散治痰熱上攻纏喉喉痺雙蛾腫痛湯藥不下咽痛額腫用此吐之

雄黄一ㄅ　巴豆十四个去油　鬱金ㄅ一

右各味醋糊丸如黍米大熱茶湯下每服七丸至十丸吐出頑涎即醒如口噤以物挖開灌之纏喉急痺緩治則死

雄黄能破結氣鬱金能散惡血巴豆能下稠涎下咽無不

活者

一方 治喉痺

陳年霜梅八蜒蚰令化每患喉痺等症用梅噙於口中

神効

齒病

審機

如尋常齒痛者乃陽明胃蘊結之爲病也亦有氣虛脾胃不足或服寒凉過多抑遏陽氣於脾土之中是以身反發熱而

爲齒痛者至於走馬牙疳者多因氣虛受寒欝熱在內或食甜酸醢臓之物積滯日久藴熱上冲齒焦黑爛間出清血血聚成膿膿臭成虫侵蝕口齒甚至腮頰穿破乳食難進氣喘熱作而漸至危矣

治法

一如尋常齒痛者宜內服清胃之劑外用摻藥拔散火邪

一如脾虛過服寒凉發熱當以火欝湯或補中益氣湯三九不應則用八味地黄凡百七八或作湯加牛必五味以道下之蓋

牙本骨之餘多屬腎經虛火所致耳

一如走馬者治宜内服清解先去積熱外用温鹽水浄吹以去涎核熱之藥切不可以寒凉歛遏以致鬱熱無從發洩厥潰更深矣以走馬名之者以齒屬腎腎氣一虛則虛火邪熱直奔上焦勢如走馬

處方

牛黄散 治口瘡

牛黄一分　人中白四分　青黛四分　氷片一分

象牙燒灰四分　珍珠乳炙七粒　白馬蹄燒灰四分　胡黃連四分

血竭四分　麝香少許　爲末冷濃茶净患處吹之

升陽清胃湯治牙齗牙痛

升麻六分　石羔煅一錢二分　連翹一錢　生地一錢二分

牛旁研一錢　丹皮八分　桔梗　甘草各三分

芥穗　薄荷各四分　燈心十根煎服

清凉散

青黛　蘆薈　黄連　黄栢

兒茶　硼砂各五分　氷片一分

右各味用冷濃茶淨口吹之

一方治走馬牙疳一時腐爛即死此方極妙

婦人溺桶中白垢一ㄅ火煅　銅緑二ㄅ　麝香一分

氷片一分　牛黄一分　右各味爲末敷立效

又方治走馬疳

乾茋　南棗各燒存性　枯礬各等分　爲末敷之立愈

吐血

審機

經曰營者水穀之精也生化於脾總統於心受藏於肝宣布於肺施泄於腎濡潤宣通靡不由此至於吐血者是營衛之氣逆也或外干六淫內因七情氣乃留而不行血乃壅而不濡內外抑鬱不能灌注是以熱極湧泄寧無妄動之虞鬱久奔升難禦猛行之鋭血由水也決諸東則東流決諸西則西流氣之使血其勢將然耶是以氣逆血亦逆而為吐血也

别症

一有因飲食太飽胃寒不能消化故吐所食之物與血

一有因氣血相冲傷於胃口亦令吐血然陽明主乎多血若爲血鬱妄行故小兒吐血屬胃者十有七八

一更有在襁褓而吐血者多由重幃煖閤大氣薰迫而然

一或因過喫辛辣流於乳絡兒飲之後停滯不散積温成熱熱極上崩是以或吐或衄或尿血也

一若久嗽氣逆面目浮腫而嗽吐血者是肺虛損也宜分症治之

處方

神膠散治小兒吐下血
阿膠炒　蛤粉各一　神砂水飛
各等分爲末用藕汁白蜜調服
又方消瘀止血
藕節晒乾爲末人參白蜜同煎湯調服
犀角地黄湯治血虚火盛吐衄妄行溺血便血
犀角鎊末　生地黄　白芍　丹皮各一半
右各味水煎去滓入犀角末服之如忿怒致吐血者加山
梔柴胡

當歸補血湯 治氣血虛熱面赤煩渴脉大而虛

炙芪 一用 當歸 ㄋ二 水煎空心服

雙荷散 治卒暴吐血

荷藕節 ㄒ七 荷葉頂 ㄒ七 同蜜擂細水煎去滓溫服

天冬湯 治思慮傷心吐血衄血

人參 ㄋ五 遠志 白芍 天門

麥門 黃芪 藕節 阿膠 蛤粉炒

沒藥 當歸 生地 各一用 甘草 炙五ㄋ

右各味爲末每四錢羌水煎温服

痢疾

審機

痢者古名滯下經謂腸澼㓗古云壯人無積虛則有之可見積由虚所召皆由脾胃旣虛飲食不節七情不適腸胃怫鬱氣血有傷釀成膿血而爲滯下也

凡新因而成者有五飲食不調脾胃傷也有因受暑而發也風寒相感而發也吐瀉失調而成也誤食冷物毒物與驚恐相乘

漸因七

而得之也

以漸因而成者有七有食積　日久者有氣虛挾寒者有脾

久傷而下血者有濕熱傷脾者有陽氣下陷者有膏粱炙煿

熱積者有疫氣穢毒相感者

別症

痢之為症有八一曰冷痢則色白二曰熱痢則色赤三曰痺

痢黃白下無[illegible]時度四曰驚痢則色青五曰冷熱痢不調則赤白

相雜六曰休息痢糞黑如魚腸愈而復作七曰膿痢肚大倂積

而又下體瘦氣臭大便閉八曰蠱毒痢則下紫黑

一又有陰虛痢者痢必發熱孔甚痛熱流於下也

一噤口痢者胃口熱甚或疫氣穢毒傳入臟腑毒氣上冲也

一五色痢者以脾胃爲水穀之海兼滋四臟故五臟熱毒而五液俱下乃見五色也

一刮腸痢者是毒氣侵胃是以飲食不飡肛門寬大深黑可畏肚腹疼痛裏急後重頻滴鮮血也

一滑腸痢者則日夜頻頻促飲食逭過也大抵噤口痢五色

痢刮腸痢滑腸痢皆爲惡候

生死脉

經曰腸癖便血脉沉細流連者生數疾且大有熱者死及手足厥冷無脉灸之不温脉去不還者死

死症

一脣如珠紅者　一下純血者

一下如魚腦者　一下如漏屋水者

一下如塵腐色者　一下如竹筒注者

一不食痢多手足冷者　一久痢而身熱汗出者
一腸疼渴喘體腫如吹者　一秋深久痢嘔逆沉昏煩燥形脫者
一久瀉變痢此脾傳腎者　一頭温足冷口臭生瘀者
一貪酒痢多肚皮陷落者
一下痢色黑腹脹喘粗唇枯目陷瞳神散大及生雲翳者赤麻
一面色青黑瀉如瘧膿或如臭雞子氣其腎外檣唇青焦赤者
一汗出如雨目閉不開長氣鷓聲面如緋紙胸陷口開手足
甲黑口吐白虫或白沫清血項軟魚口肚如雷鳴瀉下惡血

而腥臭者及久痢舌黑者五臟傷也舌黃者脾敗也並皆不治

治法

其治法必審挾寒挾熱或虛或實如熱即可用寔治寒者便

同虛論也

書云傷氣則白傷血則赤氣血俱傷則赤白相雜黃是傷食

緑是傷濕淤總因湿熱居多由膿出癰腫雖有赤白之分寔

無寒熱之别其理其治與婦人之赤白帶同也

一如噤口者治宜黃連石蓮肉忍冬花之類以通心解毒

一如後重而由肺氣鬱於大腸者以苦梗開之

凡治痢雖云和血則便膿自愈行氣則後重自除此可加治於老幼元氣之虛也若夫壯寔積盛當初起時必須下之即經所謂迎而奪之也一至五日以後則脾胃漸虛又當以消導升散行氣和血矣病久挾虛又當滋補血氣收濇滑脫矣

治五色痢者寔者則通利爲先虛者調氣和血爲主

大要寔熱宜下氣虛宜提血虛宜調後重宜下腹痛宜和身重宜除湿脉弦宜去風膿血稠粘宜重劑竭之身冷自汗宜

毒藥温之風邪内縮宜汗之鶩溏爲利宜温之在外者宜發之在裏者宜下之在上而未成積者宜湧之在下而已成痢者宜竭之表熱者宜内疏之小便濇者宜分利之盛者宜和之去者宜送之至者宜止之此皆治痢之格言也

處方

黑靈丹 錦囊秘方治痢神效

廣皮炒 三稜炒 義朮炒 青皮炒各二兩

連翹焙 黑丑炒另取頭末 乾毫炒黑各一兩 梹榔焙七刀五分

百草霜一刄　砂仁焙二ㄗ　肉菓麪包煨去油五ㄗ　肉桂五分

右爲末用黑砂糖調勻白痢生姜湯下赤痢砂仁湯或甘草湯下大人三錢小兒自八分以至二錢

香連丸　治下痢赤白腹痛不快裏急後重

木香四ㄗ八刀忌火　黃連二刄吳茱一刄同炒去茱　爲末醋糊丸梹目大米湯飲下

大黃丸　初起壯熱者可用

大黃一刄六ㄗ　白芍六ㄗ　炙草三ㄗ　梹榔四ㄗ

木香一ㄗ　枳殼炒四ㄗ　爲末蜜丸赤豆大萊菔湯下三ㄗ

導氣湯治下痢膿血裏急後重日夜無度

白芍一両　當歸五匁　大黄二匁半　黄連一匁　黄芩二匁半

木香一匁　榠樝一匁　每用一両食前水煎温服

一方治噤口痢

黄連半斤　生薑四両切

二味同炒待薑焦黄去之取連為末用陳米飯爲丸如梧子每服七八十丸赤者陳米湯白者陳皮湯赤白相雜陳米陳皮湯下

又方治噤口痢

石蓮肉日乾爲末　每服二錢陳米飲調下便覺思食仍以東方壁土炒黄橘皮爲末兲棗畧煎佐之

又方治虚滑甚者

椿根白皮東引者水浸一日去黄皮　每兩配人參一兩煨木香二錢

粳米三錢煎湯飲之

便血

審機

凡兒生七日之內有便血者由母食酒麪炙煿過多在胎受之女子則熱毒入心小便尿血男子則熱毒入肺而大便下血至如長大而便血者因臟氣衰弱風邪乃入是以或積冷畜熱或濕毒傳於腸胃冷熱交攻損傷氣血滲入腸中而便血也亦有上焦心肺積熱流注大腸而便血者

治法

其治法宜分或冷或熱或濕或風或虛或寔及新久之異以治之不可純用寒凉及單行單止凉則令血凝泣行則流走

不已止則無可歸經郎用凉藥必加辛藥爲佐久不愈者當用温劑如黑姜參术歸芎之類使脾能統血血有所歸也多兼酸澁之藥者是欲少斂之也藥多用酒炒者是欲升舉之也收澁止塞之後仍必和氣血厚腸胃使陰絡無復傷之患也

處方

槐花散 治腸胃有濕脹滿下血

蒼术　厚樸　陳皮　當歸

枳殼各一月　槐花二月　甘草　烏梅各五ク

右各味水煎每用五錢空心服

聚金凡 治腸胃積熱或酒毒下血

黄連四月酒炒一月 羗炒一月 火煨一月 生用一月 黄芩 防風各一兩

右各味爲末煑麪糊凡如梧子大每服五十凡米泔浸枳

壳水下

芍藥黄連湯 治大便後下血腹中痛謂之熱毒下血

芍藥 黄連 當歸各五分 淡桂五分

炙草二分 大黄一分

右各味每一兩水煎服如痛甚加木香梹榔

煎紅凡治臟腑虛寒下血不止面色痿黄日久羸瘦

栢葉炒黄　鹿茸醋煑　製附　續斷

阿膠蛤粉炒　黄芪蜜炒　當歸酒浸焙　枯礬五錢各一兩

右各味爲末醋煑米糊凡如梧子大每服七十凡空心米

飲下蓋失血症乃火使之然言虛則可言寒則不可矣然

久則火氣已衰臟腑虛寒兼備矣丹溪云下血久不愈者

後用温劑

一方治便血不論新久

白礬細末七分　大人一錢五分調入鷄子內煎熟切作細

塊空心白湯呑下

脫肛

審機

夫肺與大腸相表裏肛者大腸之門也肺寔則温温則內氣

充而有所畜虛則寒寒則內氣餒而不能收是以腸頭露出矣

凡瀉痢多得於風暑濕熱傷脾脾虛則肺氣弱大腸亦虛土

爲金母母虛不能生金是以少被風冷則腸頭卽爲虛脫矣
凡脫肛症多得於久痢不止裏急後重努力肛開外風所吹
而致者或伏暑暴注洞瀉腸頭不禁者或稟賦怯弱易於感
冷啼呌努氣大腸虛脫也小兒氣血未壯老人氣血已衰皆
有此症
若肛脫虫蝕久則齒根無色舌上盡白四肢倦怠唾血如粟
心內懊憹而爲危症也

治法

若虛脫者宜治溫補脾胃以生金金旺而上升次投固腸之劑外用薰掺等方若久出而堅者先以溫煖藥湯洗軟漸漸納入

若腸頭作癢者多因大腸溫熱生虫而蝕肛門初治宜服化匶凡　外用生艾川楝根煎湯薰洗至若蝕肛透入內者不治

丹溪云肛脫者因氣虛血虛者固多亦有因血熱氣熱者宜以脉詳之氣虛者參芪朮草製升麻之類血虛者四物湯百八

九血熱者凉血四物湯加炒黃栢氣熱者條芩升麻之類並宜升提

處方

龍骨散治小兒大腸虛肛門脫出

龍骨二ㄱ五分　訶子煨去核　没石子ㄱ二　赤石脂

罌粟殼去蓋蒂穰醋炒各二ㄱ　爲末米飲調化食前服

伏龍肝散治小兒陰症脫肛

伏龍肝一兩　鱉頭骨ㄱ五　百藥煎二ㄱ半

右各味爲末用紫蘇煎濃俟温和清油同調敷

又方　五倍子爲末每用二錢入白礬水煎洗

又方　木賊燒灰存性爲末搽肛門上按入卽愈

又方　浮萍爲末乾貼之或用陳壁土泡湯先薰後洗

又方　槐花槐角等分炒黄色爲末用羊肉蘸藥炙熟食之以酒下或以猪腰去皮蘸藥炙食亦可

痔病

審機

凡小兒有痔病者皆由母食酒麪炙煿在胎受之或因後天

夫謂心經蘊熱熱傳於肺注於大腸而成者

別症

其症肛門之傍生瘡腫痛者是也亦有生瘡有孔惡水不乾為漏者

治法

其治宜內服凉血解毒外用薰洗可也

一如見穀道癢痛多因濕熱生虫欲成痔瘻宜以雄黃和艾燒烟薰之或用槐葉一斤蒸之熱極納小口甁中坐薰之其虫必死

一凡痔漏初起須用芩連之類以凉大腸枳殼以寬大腸澁
藙用赤白石脂枯礬黄丹朏子之類

處方

加味槐角凡 治痔漏通用及腸風下血

槐角　生苄　歸身　黄芪 各二兩

川芎　阿膠　白芷 各五　黄連

條芩　枳殼　蓁芃　防風

連翹　地榆　升麻 各一兩

右各味爲末蜜凡梧子大每服五十凡漸至七八十凡一百凡空心温酒或米湯下

一方治痔漏

田螺个一 挑開壓入片腦一分過一宿取螺內水搽瘡

先用冬瓜穰煎湯洗净搽之

一方治痔

白鷄胆二三枚取汁 熊胆二分半 片腦半分

右研一處藏磁盒內勿令泄氣用時以手指搽之立效

薰洗方

槐花　荊芥　枳壳　艾葉各等分

水煎入白礬先薰後洗之　又方加木鱉子七箇

腫脹

審機

凡腫脹之症本於脾虛小兒臟腑嬌嫩乳食不節脾一受傷不能制水流溢皮膚方書有十腫水之分然總而論之腎虛不能行水脾虛不能制水胃爲水穀之海虛則不能傳化是

以泛溢反得浸漬脾土停於三焦壅於經絡氣留於臟而爲脹水溢於皮膚而爲腫

大抵因水因濕者下先腫因火因風者上先腫陽水脉沉數陰水脉沉遲

別症

乳食不節之症有三病水積水驚水也是病水症者乃心脾虛損面黃脚腫也積水症者五積在腹結化爲水也驚水症者重疊受驚心火燥渴過飲停畜也三之外又有九焉

一濕腫乃脾胃受濕、不能運化、氣浮四肢、頭面皆腫也、
二毒氣腫乃食毒矣、諸毒氣停留胃腕、是以入腹作腫也、
三傷寒腫乃傷寒、下之太早、是以邪乘虛入腹而作腫也、
四虛腫乃諸大病後氣血兩虛、中氣不固、皆能外浮而爲腫、故晨起則面浮、午後則足腫也、
五水腫乃脾虛受濕、榮衛留止、脾失健運、肺失輸降、水氣上侵、目窠浮腫、腹大面白、足脛皆腫、而如氷、手按成窟而卽起、光腫如泡者是也、

六囊腫乃氣聚膀胱也
七臟脹乃心腹脹滿旦食不能暮食形如鼓脹色蒼黃腹筋
起又名单鼓外鞕堅滿中空無物
八脹滿乃心腹痞脹噎氣妨食氣短煩渴面黃皮薄而光肢
瘦肌慓而咳洩短便閉脾虛之甚也
九膚脹者乃脾胃卒傷風寒陡感湿氣泊流周身尽腫按其
腹則窅而不起倦言懶食吞酸惡心

生死脉

凡水氣而脉浮大滑寔者生以其在表而未大虚也沉細虚微者死以其在裏而虚極兼之陽虚則不能化陰也

死症

凡腫先起於腹而散於四肢者可治自四肢而歸於腹者(難療)

一关蠱脹而腹有青筋脹滿而大便滑瀉面青作喘者

一单腹脹而面目手足硬者

一男從足腫而上女從身腫而下者

一唇黑腫傷肝缺盆平傷心臍突平傷脾足心平傷腎(背平傷肺者)

一或肉硬或手掌平外腎脹極囊莖腫腐臍間青黑喘促煩渴身浮青紫或身似𢇁色遍膚生瘢自利畏食唇縮枯澁小便不禁及起紫黑瘢點漸若雲斤者並皆不治

治法

一如腫脹若脾虛氣未岀者腹脹不腫不喘者或以補爲消或借消為補務使脾能健運腎能藏納則祖氣有根而不拔元氣深藏而有源何有爲腫爲滿之患哉若不速治則虛氣已岀附肺而行入於四肢面目是以通浮至此則難矣蓋標

症雖似有餘而本症寔由不足也

一如虛腫而元氣未耗宜急養胃調脾則不治腫而自退矣

一如水腫失治則皮爛水流若徧体成瘡者可治虛陥者難治

一如氣流水溢爲腫者宜先益氣補中切勿徒事滲泄

一如脹滿者治宜大補中氣佐以行湿或補中益氣九三金匱腎氣凡一百蕉服之

一如膚脹者治宜燥湿和中

凡腰以上腫者宜發汗腰以下腫者宜利水身熱者在表宜

汗身不熱者在裏宜下此治腫之常也然不可用大戟芫遂

倘水氣乘虚復至更将何以治之

一有腫脹因積而得者倘去積而腫再作小便不利者若再

用利藥小便愈閉醫多束手葢此因中焦之氣不升降爲寒

所隔水閉不行惟服沉附湯之類小便自通喘滿自退矣

處方

金匱腎氣凡治脾肺腎俱虚遍身腫脹小便不利痰氣喘急非此不救

茯苓三兩乳浸　附子五ク　牛膝一兩酒炒　肉桂一兩

澤左酒炒　車前炒　山茱酒炒　山藥飯上蒸炒

丹皮酒炒各一兩　熟地四兩酒煮

右各味爲末蜜凡梧子大每服四五錢空心白湯下

禹功散治寒濕水疝陰囊腫脹大小便不利

黑牽牛四兩　茴香炒一兩　共爲末每一錢羗汁調下

一方治水腫

緑頭鴨或白鴨治如常法細切和米并五味煮粥空食之能消水腫

一方鯉魚大重一斤煮汁和冬瓜葱白作羹食之

五苓散 治腰以下腫

白术　茯苓　猪苓　澤左

肉桂各等分　加木香茵陳爲末白湯調服

錦囊秘方 淋洗囊腫神效

葱白頭連鬚二十一根不洗　川椒一兩　麥牙一兩炒焦

地膚子一兩　右四味煎湯淋洗囊上良久次日再洗以消爲度

塗臍膏 治水腫小便澁少

猪苓　地龍生研　針砂醋煑　甘遂各等分

右各味爲末葱白研成膏敷臍中一寸厚以帛縛之水從小便出爲度日易二次

人參白术湯治臟疾一瀉三補無不應驗

人參二ﾌ半　白术ﾌ二　茯苓ﾌ二　梹榔

黄芪　當歸　生地ﾌ各二　水煎食前服

遺尿附白濁

審機

小兒遺尿者乃腎與膀胱俱虚而冷氣乘之是以傳送無

度亦有禀受陽氣不足而脬冷不能約制其水出而不禁亦有內虚湿熱是以不禁遺瀝者有焉

別症

色赤者爲血熱白者爲氣虚更有睡中自出者謂之尿床此亦腎與膀胱虚冷至夜屬陰故小便不禁睡中自出也

白濁者其尿如米泔由乳哺失節有傷於脾故使清濁不分久則成疳尤赤後白者心熱也便下純白者疳症也

一如小兒長大而有赤白二濁者其色雖殊總歸於火赤濁

者湿熱乘於血分也白濁者湿痰流下所致也又有腎氣虚寒不能收摄精泡是以尿白如油光彩不定凝如膏糊者久則腎敗成癆

治法

虚而挾熱者宜先行分利虚而挾寒者惟宜温補當以脉候詳之

處方

鷄腸散治遺尿

鷄膓一具男用雌女用雄燒存性　牡礪　茯苓
桑螵蛸炒五ク　肉桂　龍骨各一ク半
右各為末仍用鷄肫胵一具鷄膓一具燒存性研末每用
前藥末一錢温酒調化下

中寒止載寒暑濕不載風燥火以風條已有驚風門燥火已具發熱條方法通治

審機

夫嚴冬凛冽與四時風雨非時之寒氣及本有形寒飲食冷
者皆能致之大人質厚者積久乃發小兒質薄者受即陡成

靈樞曰小骨弱肉者善病寒熱何以候骨之大小肉之堅脆顴骨者骨之本也顴大則骨大顴小則骨小皮膚薄其肉無䐃此肉無分理也其臂懦懦然欲知髓之虛滿又髃臂之厚薄故臂薄者其骨必小其髓不滿也腦為髓府風池風府通於腦腦不充則邪易入而為病也

別症

中寒之症手足厥冷寒顫口噤口吐涎沫不能啼哭也

一更有胎中受寒生下面色青白四肢厥逆盘腸氣鈎噤口不開臟寒腹痛而為胎寒者此又積之最深也然寒症最類於熱因迫陽於外也切宜深察焉如脉數飲水煩渴動搖者

爲熱病若新咳嗽水液清徹尿不澁手足厥冷大便完穀身涼不渴脉遲者皆屬寒症但手足厥冷固多屬寒間亦有陰陽偏傾不能宣行陽氣畜聚於内不能營運四肢熱深厥亦深之理又宜細辨書曰寒熱如水火誤治殺人

治法

丹溪治寒症須投熱藥然熱藥須加凉劑以嚮導之或熱藥冷服使同聲易於相應經所謂從而逆之也

處方

理中湯加附子爲附子理中湯治臟腑中寒四肢強直

人参　白术　乾羌　炙草

右各味水煎服

一方

乾羌　橘皮　半夏　白术

厚樸　茯苓　桂心　甘草

右各味水煎服

一方　食盐同吳茱炒絹包熨兒臍腹。

中暑

審機

嬰兒之患夏秋爲甚。蓋火土旺於長夏，正當金水受傷，稚陽微陰，已失天和，加之暑熱陽氣浮於外，生冷戕於中，夏失長養，則不能生金，而病於秋。且暑能耗氣，氣耗則脉虛散無力，静而得之爲中暑，動而得之爲中熱。病入於心則身熱頭疼，心煩口渴，或喘或滿，而不知人；入肝則眩暈；入脾則嗜臥；入肺則喘滿；入腎則消渴。更有面垢昏倦，毛聳惡寒，吐利煩渴狀似傷寒頭疼身熱四肢厥冷但身体不痛爲異耳更有冒暑以致五心煩熱頭額亦温小便黄赤面合地臥暑氣傷心（蒙蔽心竅故昏昧不）省手足搐掣角弓反張身熱肢冷狀似驚候名爲暑風者或有吐瀉不已火性疾速元陽驟亡而變慢驚者有傷暑暴注洞瀉有傷暑作嘔吐酸者經曰諸嘔吐酸暴注下廹皆屬於熱故雖[redacted]時當長夏是伏陰在內之[redacted]時調攝可不慎歟

處方

六和湯治氣不升降霍乱轉筋嘔吐泄瀉寒熱交作

砂仁　半夏　杏仁　人參

炙草　赤茯苓　霍香　扁豆

木瓜　香薷　厚樸　姜棗水煎服

清膈飲子治小兒伏熱嘔吐煩渴五心熱小便赤少

香薷ㄗ三　淡竹葉　人參　半夏

白核香ㄗ各二　甘草ㄗ一　茯苓ㄗ三　粳米ㄗ五

右各味羌棗同煎食遠冷服

六一散 主治傷暑

活石水飛六兩　甘草一兩　共為末新汲水或冷燈心湯下

四苓散 治小兒伏暑作渴或瀉渴小水不利

白术ㇷ五　茯苓五ㇷ　猪苓ㇷ五　澤瀉ㇷ七

共為末用車前子燈心同煎湯調服如吐不止加生薑自然汁

中湿

審機

夫天下默然而受其累者湿之謂乎。脾為身主最苦於湿，雖最苦者最易受焉然湿本土氣而火熱能生土濕故夏熱則萬物濕潤秋涼則濕復燥乾濕病本不自生多因火熱鬱拂而水液不能宣行卽停滯而生水濕雖爲濕病而又兼熱疴也故曰濕熱相因之義者此也

別症

凡爲症者爲上部所積遇濕則爲痰下部所積遇濕則爲痢如值太陰濕土司天者此氣化之濕也如淫雨襲虛或寢臥卑處而受地土蒸濕或汗濕久需或冒露奔走此外感之濕也

如嗜瓜菓飲乳酪啜酒漿喜生冷此內傷之濕也如因母有濕病或体肥而多濕者此禀受先天之濕也然輕清爲天重濁爲地故濕土犯病者厥体必重爲夦也、

治法

其治法惟宜滲濕而利小便不可發汗、吴忌向火烘蕿致濕內淫變生他病、

處方

小除濕湯

白术　半夏　甘草　陳皮
厚樸　蒼术　羌水煎服
参术散治小兒初受湿身重頭疼發熱悪風多汗面浮作嘔小便不利
人参　茯苓　白术　猪苓
澤左　炮姜　木通　燈心
車前各等分　水煎服
除濕湯治中湿吐瀉助脾去湿凡湿氣傷筋手足軟弱不能提擧疼痛等症
人参　橘紅　霍香　蒼术

大腹皮　茯苓　半夏　白朮

甘草ㄅ各一　水煎服

胎毒諸瘡

審機

後天諸毒易解先天所中难明則發而爲瘡也起自風癮漸成細瘰

一作搔癢卽濕而流斥如癬自頭遍体上下隨感而發總是濕火相因血熱毒盛腠理愈開滛毒益熾癢爲氣虛楚屬血

虛其症屬腑族久而氣血兩虛則因熱而起又因熱乘虛而
內攻矣如初起便發於項者胎毒壅盛上參陽位也若愈時
而結聚於項者六陽諸毒上冲火毒炎上之徵也

別症

一驚瘡者驚本無物因蹉其氣血在臟爲積在腑則流溢皮
膚而爲瘡也

一練銀瘡者眉間生瘡是脾熱也

一風瘡者亦發遍身其形甚小俗呼謂疥也

一虫窠瘡者又名虫胞謂其從胞胎而来也如細螻子是也、

一禿瘡者乃髮稀而有白屑至久不愈者

一脳痺瘡者乃白禿不生髮盖足少陰腎經其烝在髮因痺熱氣損少不能榮髮耳有在四肢者是日久脾虚濕毒感襲也

治法

凡治諸瘡之法若痛癢不可忍者若性急面黑而血熱者宜苦寒如芩連知栢苦参之類体肨之人宜祛風燥湿清火爲主如久病之後湿熱外達者但宜補托切勿多浴塗遏致毒内攻

夫諸瘡雖屬心火，當用寒凉，但熱則行，寒則凝，凝則毒反滯而難痊，故莫如透肌解毒，和血滋陰，則風火息而燥癢除，且氣血充固，則諸毒不能爲患矣。

若痘疹之後生瘡者，餘毒未盡也，亦宜化毒和血。

若夫瘡前發驚與夫瘡後發驚者，皆因瘡而致也，並宜理瘡爲主。至於一切胎毒，俱宜凉血清熱，解毒發散於外，切勿輕從外治，以致毒熱内攻，卒成不救。小兒脾胃嬌嫩，易入難出耳。若瘡色焦枯，肚腹青黑者，生瘡而無膿汁者，或遍身皆瘡

毒發於筋或在小腹或在頂門腫起者並皆不治

處方

療毒湯 治一切久遠痛癢諸瘡

胡麻　威靈　何首烏　苦參

荆芥　石菖蒲　防風　獨活

甘草各等分

白酒煎服

連喬解毒湯 治四肢腫濕諸瘡

丹皮　牛必　木瓜　金銀

桃仁　連喬　天花粉　草節

殭蚕　米仁各等分　水煎服

外治諸方

一方治朦朧瘡　檳榔磨萊油加硫黄爲末敷之

一方治疥瘡癢　大楓子四十九粒　水銀製二ㄅ　雄黄五分

海螵蛸五分　枯礬三ㄅ　番木别三ㄅ　川椒三ㄅ

右各爲末用胡桃油搗凡擂之

又方

水銀ㄅ二　樟腦ㄅ三　枯礬ㄅ三　雄黄ㄅ四

大楓子ㄅ四　輕粉ㄅ三　鉛粉ㄅ三　東丹ㄅ二

蒸萊油或陳蠟燭油調末

一方治面上生瘡

糊粉　輕粉　松香　共爲末鷄子煎油調敷

一方治耳後蝕瘡

黄連　枯礬　共爲末或油調或乾擦

一方治面上耳邊時出黄水浸淫不愈名香瓣瘡

羖羊髮(音古 牡羊)　荊芥　乾棗(去核 各二兩)　各燒灰存性研末入

膩粉(五分)　每用少許油調先以溫湯洗淨拭乾塗上

一方治白禿瘡　灶土(燒紅 四兩)　百草霜(一兩)　膽礬(六兩)　榆皮(三兩)

輕粉(一兩)　共爲末豬膽調剃頭後抹之甚效

一方治肥瘡　松香(二兩入葱管飯上蒸化待冷去葱用)　真鉛粉(二兩)

東丹(八分)　枯礬(一兩)　共研極末蔴香油調抹之

一方治天行癞瘡須臾遍身皆帶白漿此惡毒氣也

葵菜葉熘以蒜韲啖之即止

一方治天泡瘡　用通聖散及蚯蚓泥略炒研末調蜜敷之甚妙　又方　用芭蕉根擣汁敷之

又方　用小麥炒焦爲末生桐油調敷甚效

一方治脚指縫爛瘡取鵝掌黄皮燒存性爲末抹之

一方治鷄眼瘡取鷄胃中食楷之餘者以石壓之立驗

一方治天蛇頭用人糞雄黄泥同擣裹在患處即愈

水卷終

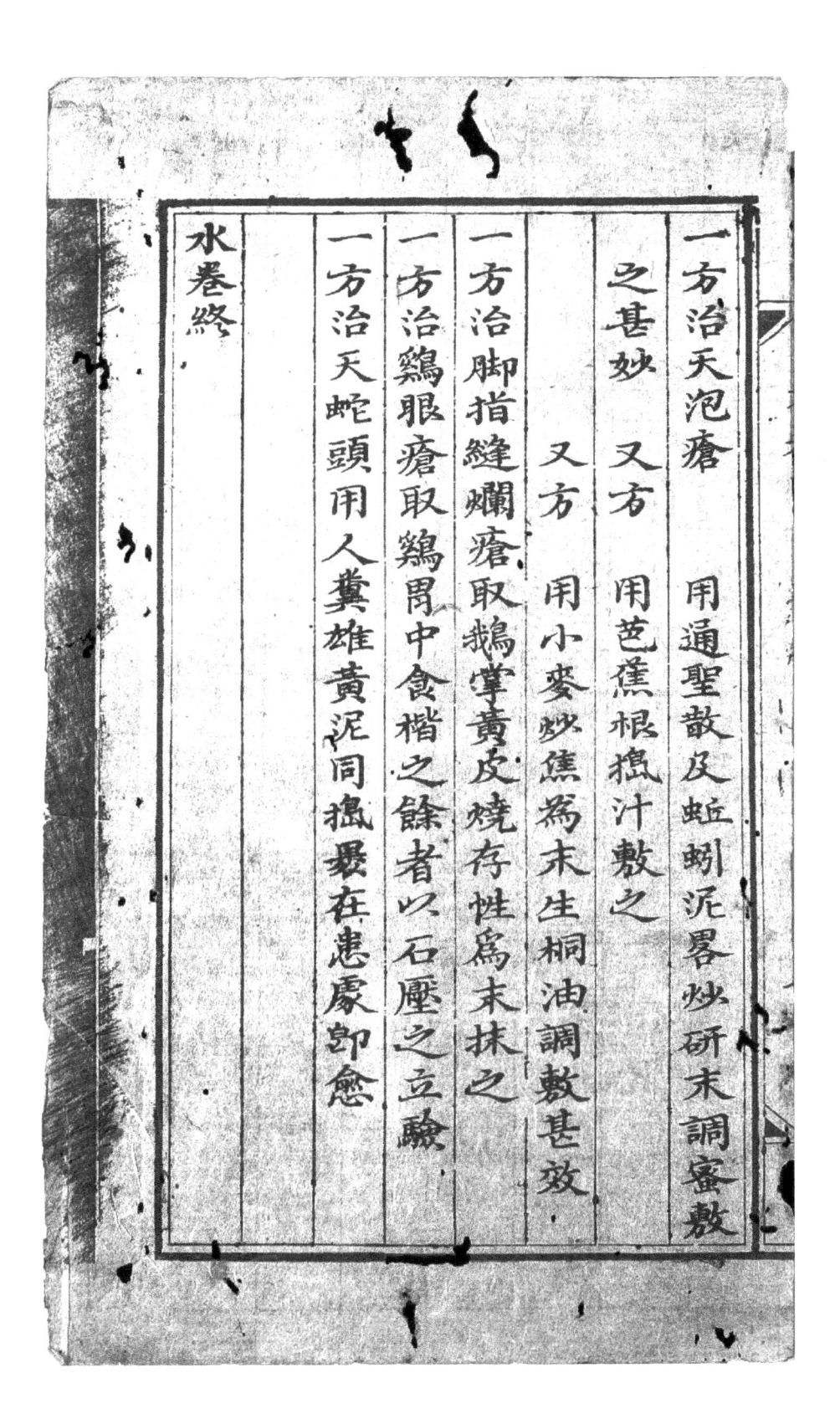

K.1149

新鐫海上医宗心領全帙卷之三十三

火卷目次

總論　辨源論　化機論

病機論　治療真旨　陰虛顕兆

脾肾病源　用藥處方　接續無陰方

滋培雉陽方　荣養心肝方　調補脾肺方

兒科列方

目次終

樂生篇曰天厚於人具此降衷胚胎養育形化是鍾一有
疵疚滛氣所蒙顧余小術下念孱庸奉天生意診療施功
但願有生共囿春風製篇命額聊以形容
黎氏别號懶翁撰

板留在武江縣大壯社同人寺

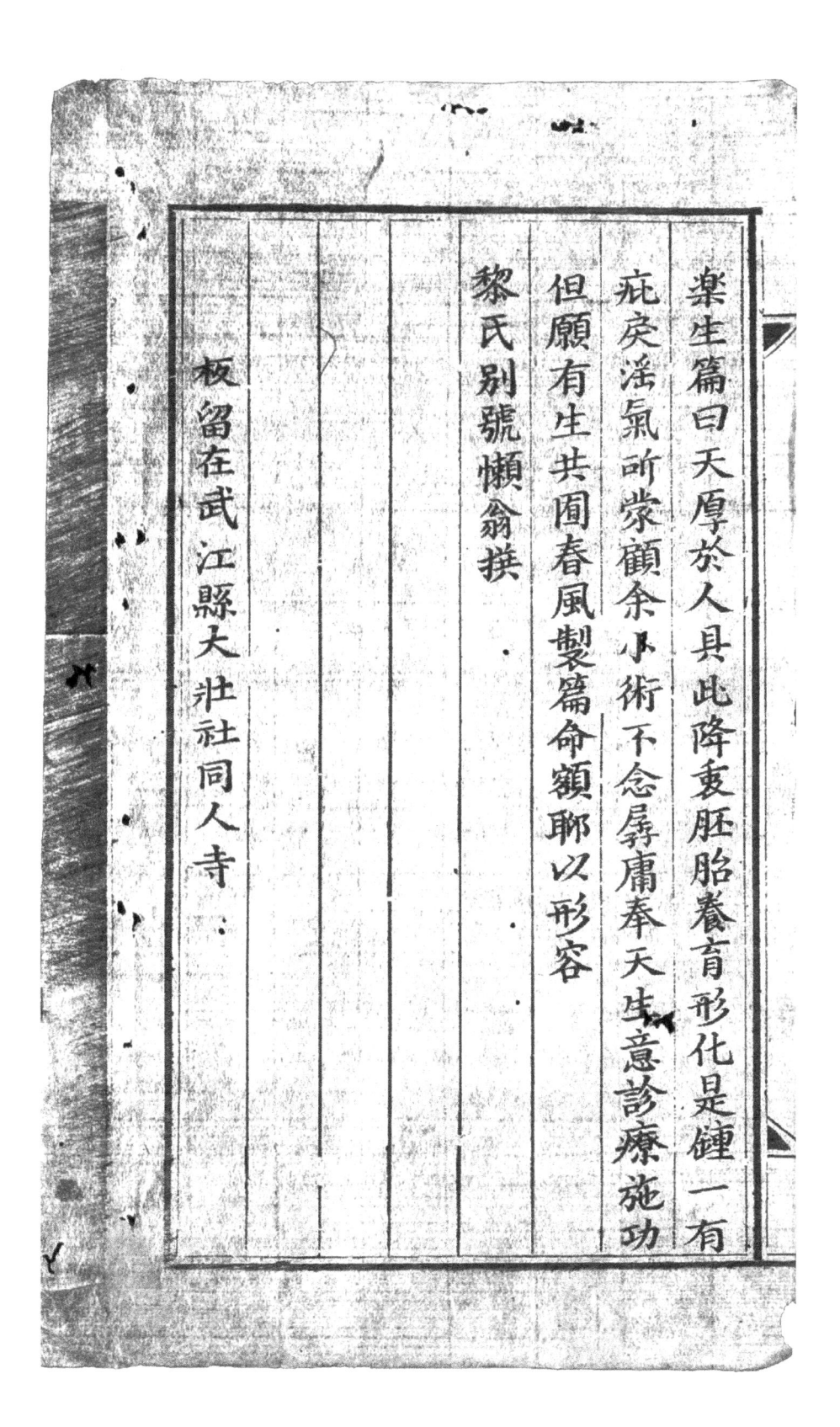

幼幼須知火卷

海上懶翁黎氏纂輯

後學唐郇武春軒奉較

總論

余禀受於晚年所承最薄沉痾屢作乃棄業習醫及長嗣育亦难縱有所得多憑桑餌方可長成故於性命之學惟啞科一圈尤爲緊切初年臨此症者諄諄以古法施治毫釐不敢違越惟以草頭露無異手嬌嫩芽兒向使實邪亦不敢放心

於剗削然閲驗既久見藜藿歴耐風霜輩及滑病時堪於攻伐者亦百中之一二始能猛然醒悟蓋古後不同天地之氣日薄人之所禀亦薄若徒效古人尅削寒凉之方如肥兒凡芦薈凡將肅殺之令而爲發荣之機不可得也書云小兒純陽無陰純陽即火陽初生之氣耳火者乃陽氣之嬌雉非純爲有餘之謂也無陰者乃天癸之真陰未至也非有形陰血之謂也故凡有感傷易於發熱暴熱則傷氣久熱則傷血一熱而陰陽並傷何世誤指純陽爲亢盛之質舉手便以寒凉

尅伐爲事噫一分之陽幾何陰氣未全復敗其陽夫人之有生以陰陽爲立命之根本陰陽兩敗而復望其生長萌芽未之有也況人品乃氣化日薄既以不足之資而所得之兒幸其有餘亦罕矣藜藿者亦實中虛膏粱者乃虛中虛也每見令之兒患痘而犯腎虛之症十中六七如此臨唖科者不知救本以爲求生之計甚踈矣大要火之有餘因水之不足毫不宜去火當壯水以制陽光陽根於陰陰根於陽水火均平生生之元氣無傷火安其位則萬象泰然

辨源論

書云人之有生禀陰陽之体具五行之用一身象備一天九臟類諸九有父精母血融結成胎陰不勝其陽則成男陽不勝其陰則成女胎之成時一月如珠露二月綻如桃花三月男女始分男子先生左脇左腎女子則反之四月形体全五月筋骨成六月毛髮生七月迬其魄能動左手八月迬其魄能動右手而臟腑具九月三轉動穀氣八胃十月滿足神備而生然究其實會合三才之道各得其九三九二十七人應之二百七十日

而生其中有虛計一月以備承除之義故有十月數經曰九九爲上（二百七十日生）八八次之（二百四十日生）七七又次之故凡滿月而生者氣血蓄之有餘七八月而產者氣血養之不足大抵人得中道爲貴是以觀察小兒所禀厚薄以調治者先驗顱顖處可以畢矣（禀實則顱門狹小禀虛則顱門廣大）次觀父母彊弱所得於初年晚年則立之遲睛之黑髮之潤齒之擱自可逆覩矣

化機論

書云命門居中腎居左右乃人身中之太極爲一身先天元

氣動則生陽爲火靜則生陰爲水水者精也元氣之體所以立也火者神也元氣之用所以行也故命門謂之神門元氣之根本精神之所舍也於脉則左尺腎水（即真陰）生左關肝木肝木生左寸心火右尺命門（即真陽）生右關脾土脾土生右寸肺金自下而上先天之元氣也若後天元氣則火生土土生金金生水水生木自上而下也先天之元氣由於無形以肇五行後天之元氣從有形之五行以環運先天陰陽無形之氣陰陽合德而生魂魄神志意之神乃具喜怒憂思悲恐驚之

情此小兒之神未全凡非常之物類非時之声色切不可近犯之則爲神思悶病病則難療也

病機論

小兒一科先哲分門設目名義浩繁豈是沽高嗜異徒乱人心曲哉要學者穷源遡流以深明其奥旨也然以余愚見緫其源頭終不外脾腎二家而已盖腎爲先天之根本天癸未旺体属無隂脾爲後天之化源飲食易傷多生於不運凡有疾病非此則彼縱有外因亦不過爲發病之端耳要知正氣

不至於空虛邪必不能湊而實夫小兒賴乳哺之穀氣以滋養然脾胃之穀氣亦本於先天無形之陰陽而後可以化生有形之氣血然脾胃一傷穀氣不足更不能壯真水益真火以續其命脈如發熱驚風急驚發搐目竄者乃無陰水虧相火炎火生風肝主筋水不能養木筋枯而拘急也如發驚胎驚胎癇驚啼者乃水虧真陰不能上奉於心陰損而神明無主也如啼哭無声失音者肺雖爲声音之户而實根於腎稟最薄者始有此兆也如解顱顖陷天柱骨倒骨蒸龜胸龜背

齒遲髮遲腎主骨髓真陰真陽不充之故也此皆先天之症候也如胃虛則吐脾虛則瀉脾胃俱虛則肌肉瘦削瘺黄與脾熱欝則爲重舌木舌水氣不充榮衛不調立遲行遲而鶴膝五軟五硬此皆後天之症候也故六味八味四君四物理中歸脾專爲啞科之聖藥

治療真旨

凡小兒諸病本之無陰易於發熱熱則神昏而驚啼熱則傷陰血枯筋急而拘攣如胎驚胎癇胎風臍風天瘹客忤驚風

急驚慢驚慢脾風此等名目其症無不驚怖搐搦至於用藥則蜈蚣全蝎竜腦射香牛黄蕤合南星川芎白附輕粉巴霜大黄樸硝之類確其掉眩爲風之顕兆的以驅風化痰降火爲對症之必需嗟乎以有生之皃而投戕生之藥何其慘哉縱有議補者則曰土爲萬物之母參苓术草以爲唖科之穏劑朝暮之佳珍殊不知苓滲术燥耗血傷陰五液乾枯瘈瘲痱瘍之患倘能取重於陰陽者製方調藥不越乎後天有形之氣血全不顧立命根本處不知真陰真陽爲甚麽物或曰

小兒無補腎法嘗知諸臟有虛有實而腎臟有虛無實况小兒之陰氣未成即腎虛之日也或父母多慾或所得於衰年或難嗣賴滋培而後得素禀已虧更腎虛之候也陰氣不足不知補之則陰竭而孤陽絶矣何謂可無補腎之理乎故凡小兒天禀不足者一有疾病當責於先天尤宜以色脉形症爲辦而壯水益火之方實爲衛生之至寶啞科之聖藥

陰虛顯兆

先天無形之真陰禀受元精之祖氣深藏於左腎黑竅中

默運精神之内凡見小兒神多昏昧夜睡不穏易於驚惕羞明怕日喜静惡動此由父母多慾素傷腎氣或因交感之際偶傷七情損其真陰治宜大補真陰則火自降惟宜增損地黄凡切忌参术黄芪盖甘寒能補五臟之真陰甘温能補五臟之陽氣陽火易救陰水難求故先天元陰之真水不足自非歲月計功不能斡旋也

脾腎病源

凡小兒諸病源每多得於脾胃嬌嫩胃不堪於受納脾不能

於運轉液凝生痰氣鬱生火痰火結聚諸病叢生如傷胃則吐傷脾則瀉不愈必成慢驚或竭液而爲癖瘵胃中結熱則爲驚口瘡脾經實火則爲重舌木舌食積爲痢膈痰爲瘫痰火交作則爲急驚或爲喉痺痰火結滯則爲癎搐或爲喘嗽火行於外則爲丹毒火動於内則爲腄驚火乗於心則爲胎驚夜啼火積於中則爲骨蒸之熱此火也痰也莫不緣於脾胃虚也若脾胃壯實則運納有餘安有痰火之爲害哉故司幼科者不可不專心於脾胃也然小病迯病足以濟事若大

病久病尤宜取重於腎中真陽真陰真陰旺則水升火降亢
炎之勢豈容沸騰真陽生則乾健不停濁陰之痰何能党聚
切不可事脾而忘腎資生之功資始之德宜兩全也

用藥處方

書云治十老人不如治一小兒以其痛苦不能告人病情深
淺自難測也是以先哲别症候分名目設治法專門者七十
餘條用藥立方亦以千計此皆慈濟苦心於救世又何如焉
經云知其要者一言而終也余苦思愈深含領愈多去冗運

眞期於知要如夢中覺始知小兒諸病其要不外於脾腎也雖千條萬緒其源頭則一而已矣實則瀉虛則補滯則行散則收鬱則發滑則澁治療之常經然小兒之發熱者是無陰驚者是血損搐者是水衰土虛則多痰中寒則吐瀉不運則脹滯縱有外感内因亦由窺見脾腎二家無能故敢來玩弄而自肆其猖狂也余刻意求成製爲方藥四條顏之曰接續無陰以壯先天之眞水曰滋培雉陽以益先天之火火曰榮養心肝以濡後天陰血曰調補脾肺以助後天陽氣四者以

之通治小兒諸病更觸類旁求因所因而增損之十可當百百可貫萬仁義之兵無敵於天下正謂此也

接續無陰方 乃增損六味地黄湯

熟地 二匁陰虚乾枯者加至三四匁　山藥 一匁半飯上蒸透焙二次炒三次以深黄為度

茯苓 八分有口乾渴者乳浸上熱者一匁　山茱 一匁多啼面赤用五分酒蒸炒

丹皮 一匁酒浸炒胃氣弱減半甚則去之　澤瀉 五分塩酒炒陰熱甚者用一匁不渴便頻去之

麥門 一匁老米伴炒鬆黄胃彊生用　五味 三分肺氣衰打碎炙黄以溼金歛緩收納所粗

治小兒一切諸熱病新病無往不宜真幼科之聖藥以峻補

真陰水壯則火息滋其陰而火自降火無損則元氣無傷火
安其位則萬象泰然
增損用該十七條
一单熱久熱形色焦枯肉脱神昏者乃亡陰之顯兆倍熟地
去澤左加牛必班竜化服
一陰熱蒸又或夜熱或午後熱倍熟地加牛膝以斂濁陰有
汗去澤左無汗倍牡丹加柴胡以發之
一身熱而外惡寒者確有表症惡寒者有陰症而無汗加柴胡以平肝

風加桂枝以散寒鬱而致汗
一毋毒大熱而勢不可於寒涼者倍熟地加玄參以伐邪火
金銀花以清熱毒
一胎熱父纏形体瘦薄加班龍以補精血加人參另煎冲服以補
胃中元陽倍山藥以救脾去澤左恐傷血
一暴熱烙手氣短神倦倍熟地以補真陰液乾發癥加班龍
以補真精加人參另煎冲服以扶元氣
一大熱傷血心無血養神不藏而發驚熱極傷陰水不養木

而筋急發搐去澤左（傷陰）倍熟地以補水加班竜以峻補真精使之上奉以安神加當歸以和肝血白芍以歛肝陰秦艽爵藤以舒筋活絡以去內風（此血生風）然無陽不化而氣壅加木香飯煨以導之氣行痰消自無拘急（凡小兒急驚凡胎風驚癎而發搐者無不因於相火熱傷陰損血而然）

一夜痞而驚啼者本於陰虛相火上炎與因驚而得病者亦由心肾之陰虛宜倍熟地去澤左加牛必以降陰火

一陰熱骨蒸痿黃肌瘦腹熱者此脾肾之陰虛宜倍山藥茯苓

以健脾滲湿

一变蒸而熱不退者此真陰虚甚倍熟地加牛必杜仲鹿茸
枸杞峻補精血以生筋骨

一多汗而身熱者乃大爍陰虚陰虚不能守倍熟地以補水
壯冊以清雷火加班竜以補精血

一溺白者本於湿盛得之若見大熱倍熟地加牛膝以引火
下降倍苓澤以滲泄湿邪

一胎黄遍体皆黄壯熱便閉尿黄可梔倍苓澤以滲湿牛必

以降濁加黄栢蒼术以治湿加茵陳以去黄
一久咳嗽不已乃金水受傷倍茯苓以化痰麦門五味以保
肺牛必以降濁寒甚加肉桂以散之
一咽喉因火　作痛者用六味倍熟地加牛膝因火虚作痛
者用八味加牛膝杜仲
一吐血衄血無不由於火如虚火倍熟地加牛膝炎勞亢甚
加知母黄栢以抑之虚倦甚加班龍
一便血久不愈者其真陰必傷而閉藏益弛加酒炒升麻以

提之塩炒破固以閉之

滋培雉陽方 乃增損八味地黄湯

熟地二ㄅ　山藥一ㄅ　山茱一ㄅ　牡丹七分

茯苓一ㄅ　五味五分　牛膝一ㄅ　杜仲一ㄅ生用

大附三分　肉桂二分去皮　澤左七分

治小兒外假熱而內真寒諸症與久病大病元本大虚者峻補元陽更兼滋陰以充精血之海小兒先天稟弱者誠保命之神丹求生之僊品

增損用該二十二條

一解顱乃先天最虛頭縫開解最危之候去丹澤加枸杞鹿茸或作凡久服之以圖必濟

一顖陷因所禀精血不足或得於吐瀉暴虛其要當充培骨髓倍熟地去牡丹加鹿茸升麻酒炒

一天柱骨倒乃肝腎虛筋骨無用之故也倍熟地山茱加鹿茸去丹澤

一五軟頭項手足身体肌肉是也脣口乃所得於父母精氣血損故筋骨肌

体不爲用也此非誠實之具宜倍熹地去毋藏澤加鹿茸
枸杞歲月接續以培植之
一齒遲此腎虛骨髓乏而不茬也宜倍熹地去毋澤加鹿茸
倍肉桂
一髮遲雖云血之虛而實根於足少陰之經其茬在髮倍熹
地去澤左加班龍
一語遲者盖声音根於腎也去澤左附子倍熹地加班龍枸
杞以補金水

一立遲行遲當責之筋骨補其肝腎倍熟地去澤左加鹿茸

枸杞續斷蓋續斷觡續筋骨

一龜胸病雖本於肺氣然納氣藏源又根於腎加麥門鹿茸

枸杞補而歛之

一龜背者背乃腎俞雖有所因亦責於腎去澤左倍山茱加

鹿茸枸杞

一啼哭無声發声瘖又啞又氣不接續大凶之兆倍熟地去

澤左加麥門班龍

一啼哭無淚乃液竭之机亦非美兆倍熟地加麥門枸杞班龍鹿茸

一胎驚胎癇胎甩雖症候有別其源則同其候身涼或溫而發熱去澤左加班龍秦艽木瓜

一慢脾風或身涼身溫但兩眼不開声音沉小此脾傳腎極虛之症倍山藥減澤左加木香

一喘哮病無不因於氣虛無歸源之力加麥門倍五味牛必以斂之

一耳病因於火炎而作痛流膿者倍熹地加班龍倘亢盛加酒煏玄參以暫消之

一齒病不干於胃火者倍熹地加麥門鹿茸

一痢久不愈者當責於腎以助閉藏倍山藥去牛膝加塩姜炒破固

一病後失音此腎怯也倍熹地加麥門班龍

一五癖病癖郎乾也精血衰損之症此有熱亦爲假熱倍熹地去澤左加麥門枸杞鹿茸内热甚倍牡丹加班龍

一諸積久用脾藥無功倍牛膝五味山藥茯苓加沉香此釜底加薪以助運行之力

一脹痞由於氣虛不歸源倍五味牛膝肉桂以引之

荣養心肝方乃增損四物湯

悵生地二ㄅ酒浸一宿　當歸酒洗一ㄅ　川芎焙乾四分　白芍酒洗焙乾八分

沙參酒洗一ㄅ　乾姜炒黑三分　加燈心十莖水煎服

治小兒暴熱乃新邪客熱　小熱諸症盖熱則傷血荣養於統藏以救後天陰血

增損用該十三條

一感冒發大熱倍川芎加紫蘇防風以和血致汗如汗未解加葱白去乾姜加生姜

一胎毒鬱熱遍身瘡瘍倍當歸生地加防風荊芥玄參升麻膿汁浸淫加白芷

一胎熱身如塗冊倍生地加黃芩黃栢玄參

一汗多身熱倍生地加防風黃芪蜜炙黃栢童便浸炒黑陰虛不止加班竜五味

一顖腫倍當歸白芍加天麻防風

一瘂痓病倍生地當歸加秦艽蒻藤天麻肉桂不止用六味加木香肉桂

一寒邪傷荣發熱惡寒無汗加姜活紫蘇桂枝

一変蒸而熱不解者屬於陰虛宜倍生地加人参細辛有挾風寒者加防風姜活

一五硬倍當歸生地沙参加丹参桂枝身温汗多可用若身涼用四君

一丹毒紅腫迮走倍生地去白芍加黄連玄参甚加大黄

一便血加玄参升麻紅花火用蒲黄炒黑

一吐血倍生地白芍用生去川芎加玄胡黃栢牛膝不止者急

用六味加牛膝五味

一衄血倍生地白芍加麥門牛必不止者用六味加牛膝五味

調補脾肺方乃增損四君湯

人參二フ火盛者フフ白术三フ滲湿土炒黃陰虛乳汁炒脾弱茯苓一フ半陰虛乳汁浸

炙草八分胃口乾密浸炙熟地一フ炙至乾香和脾陰制术燥蓮子一フ去皮去心炒香

加煨姜三片大棗二枚水煎服

治脾虛湿滯不能運化胃虛不能受納與胃陽虛而衝氣虧

脾陰虛而榮氣損変生諸病此是調補坤元轉否爲泰以補後天元氣以滋生化之源

增損用藧十四條

一嘔吐倍白朮加陳皮姜汁

一泄瀉倍茯苓挾暑氣加扁豆因傷食加砂仁厚朴湿多加猪苓澤左滑甚加訶子豆蔻久不止急用八味凡加破固以固胃氣之關

一吐瀉交作倍白朮茯苓加炮姜五味肢冷加附子瀉甚加

訶子豆蔻吐甚加丁香姜汁挾傷食加砂仁藿香厚朴挾
外感加藿香紫蘇如不止身溫脉洪者急用八味加五味
破固以急救陰陽
一慢脾凡則身涼多因於瀉之後脾胃大虛之候縱有熱亦
是假熱切不可清如見痰見搐不可輕投風痰藥宜倍人
參白术炮姜飯煨木香磨服四肢漸厥加附子丁香愈後
加炙香熟地以保脾陰如精神猶怯弱者用八味凡加鹿
茸去冊澤

一胎寒腹痛膓鳴瀉青或下痢純白時漸發搐者倍白术加丁香肉豆蔻山藥炒深黄愈後宜八味凡加兔絲子以補之

一胎瘦身涼肉薄啼叫不休便溏色青者倍參术去茯苓加炙香熟地大棗煨姜愈後宜八味去丹澤加鹿茸以補之

一五軟乃無陽之候倍參术加丁香肉桂當歸甚加附子炒黑乾姜愈後用八味凡加牛膝杜仲鹿茸以補之

一汗多身涼衛氣不固倍人參加蜜炙黄芪朱效以防風煎湯浸黄芪炒用

一唇口病火虛者，藏人參加梔子、升麻酒炒

一傷風發熱宜藏白朮或生用，加防風、細辛，無汗加生姜、葱白以汗之，如熱盛加炙乾熹地以和之

一臍風撮口原得於溼風，其候亦有驚搐，倍參朮，加官桂、木香、秦艽、蔚藤

一腫脹倍參朮，加澤左、大腹皮，煨丁香，不止者用八味加牛膝、車前，藏熹地

一發黃疸加倍參朮，加炒黑乾姜、麥冬，五味

以上四方增損用藥皆余之經驗姑畧陳之以爲間架餘因之觸類旁通則無往而不宜焉大要陰分之病輕則四物重則六味陽分之病輕則四君重則八味經曰識得標只取本治千人無一損医能達此術生之術無遺憾矣

或問於啞科一門先哲審机別症立法處方并又有條豈爲虛語而余辨論諄又於脾腎兩家用藥立方只設四條曰可以通治而畢小兒之病何其簡易若是耶余曰医者理也散之則萬殊會之則終歸一理經云知其要者一言而終蓋腎

主先天立命之基脾主後天化源之祖資始資生萬象化成人之有生惟以脾腎爲根本雖有臟腑之分經絡之别譬猶大木之枝幹耳枝幹有傷則從根本灌溉之立見敷荣若徒知枝幹而不顧根本而望其茂盛者未之有也夫人之百病靡不由陰陽偏勝氣血者乃有形之陰陽水火者乃無形之陰陽寒熱者乃陰陽之德也病之小者非氣則血病之大者非水則火症之兆非寒則熱治之要非補則攻寒熱者乃虚實之本攻補者乃治療之机是則知病之有千形萬状不外

乎陰陽水火氣血之中医之能改死回生不越乎寒熱虚寔之理余用藥只設四條二者補先天水火二者補後天氣血以爲求本之道間有内起外因亦初病當分内外久則総致一虚更引類而增損之該六十六條目倘以此爲未可畢則小兒諸病不開於氣血陰陽更有何者作幻於其間哉於四方外余有製培土固中方可作兒科久用之需補胃陽而不燥益脾陰而不滯誠不倚不偏之君子亦宜參用本方出徵徵集

樂生篇終

兒科諸方　該二百三十七方

一　惺香散

南星四ㄗ　木香五分　姜十片水煎熱服

二　牛黃清心凡　牛黃　柴胡　桔梗　白芩

杏仁各一ㄗ二分半　射香　竜腦　羚羊角各一ㄗ

當歸　白芍　防風　白朮　黃芩　麥門　芎窮各一ㄗ半

肉桂　大豆黃卷　阿膠各一ㄗ七分半　蒲黃

人參　神曲各二ㄗ半　雄黃八分　甘草五分

白歛（七分半） 犀角（二ワ） 乾姜（七分） 山藥（七ワ） 金泊（一百十片） 三

大棗（十ケ蒸熟爛研）

右爲末蜜凡每月作十凡金泊爲衣每服一凡溫水化下

三 溫胆湯

半夏（製） 枳實（炒） 棗仁（湯浸去殼各二ワ） 白茯苓（五分）

陳皮（去白一ワ） 甘草（四分）

右剉散每服一ワ入竹茹少許姜棗煎送下

四 五福飲

人参心　熟地肾各随宜　當歸肝二三ㄅ　白术脾炒一ㄅ半

炙草脾一ㄅ　水二鍾煎七分食遠温服

五　錢氏養心湯

黄芪　茯苓　茯神　半夏麯

當歸　川芎各五分　辣桂　栢子仁

酸棗仁　五味　遠志　人参二分半　甘草炒四分

姜棗水煎服

六　金水六君煎

當歸二フ 熟地三五フ 陳皮一フ半 半夏二フ
茯苓二フ 炙草一フ 水二鍾生姜三五七片煎八分食遠溫服

七 附子理陰煎

熟地三五七フ或一二三兩 當歸二三フ或五七フ 炙草一二フ 乾姜炒黄色一二フ
附子一二フ 水二鍾煎七八分熱服

八 六味回陽飲

人參一二兩或數フ 製附二三フ 炮姜二三フ 炙草一フ
熟地五フ或一兩 歸身一フ如泄瀉者或血動者以冬朮代之多多益善

水二鍾武火煎七分温服

九
四味回陽飲

人參一二刄　附子二三ㄗ　炮姜二三ㄗ　炙草一二ㄗ

十
鈎藤飲

鈎藤　茯神　茯苓　川芎

當歸　木香各一ㄗ　甘草五分　白芍

右爲末每服一ㄗ姜棗水煎若心經熱臉紅舌白小便赤澁用鈎藤飲去木香加硃砂

末一ㄗ木通湯下

十一 紫石散

紫石英　滑石　赤石脂　凝水石
白石脂　石羔各六月　甘草　桂心
牡礪各五月　大黄　竜骨　乾姜各四月
製爲粗末盛以韋囊懸於高凉處欲用取一二指撮以新
汲水三盞煎至盞二分大人頓服未滿百日内皃服一合
只以綿粘著口熱多者進四五服

十二 木香勺氣散

木香　丁香　㭋香　白豆蔻各二ㄋ
霍香葉　甘草各八ㄋ砂仁四ㄋ
一方有沉香為末每二ㄋ八塩火許沸湯調服
三十桂枝解肌湯

十四加味朮附湯

附子　白朮各一刄　肉豆蔲一个　木香

甘草各五ㄱ　每二ㄱ姜枣煎服

十五金液丹

用硫黃将鉄杓熬溶傾八井水或麻油内後用桑柴灰

淋纏炆七八遍挼水去紅暈爲末蒸餅凡梧子大每二

十凡空心飲下傷寒陰症不拘凡效

十六補肺湯

阿膠炒一兩半　白茯苓　馬兜鈴去殼硬半兩　糯米一兩
杏仁二十粒去皮尖　甘草四ㄗ
右剉每服二ㄗ水二盞煎七分無時温服

十七理中湯
人參　白朮各一兩　乾姜炮　粉草炙各一ㄗ半
右剉烙爲末每服半ㄗ或一ㄗ用温白湯空心調服

十八白餅子
活石　半夏　胆星各一ㄗ　輕粉

巴豆二十四粒去皮膜用水一斤煮乾研爛　右以三味研末入巴豆輕粉

研匀飯凡菉豆大每服三五凡紫蘇湯下忌熱物量兒加減

十九人參湯

人參　茯苓　黄芩　陳皮

姜活　麻黄去根節　蜀椒去目并合口者炒出汗各一刀半

水煎食後服

二十千金竜胆湯

龍草炒黑　鈎藤鈎　柴胡　黄芩炒

桔梗　白芍　茯苓　甘草各一ㇷ半

蟯螂一枚去翅足　大黄煨一分　右爲末每服一二ㇷ水煎量兒加減

一二　活虎丹

取蝎虎一亇煎去翅足合連血細研八朱砂乕腦射香各火許研勻古蒙石散控痰涎次用荷煎湯調前藥依一服化下

二二　參苓散

人參　茯苓　川芎各一ㇷ　甘草

白芍　黄芪各半月　青皮去白二フ半
右爲細末每服一錢水一小盞煎至五分去滓温服
二三 白术散
白术三月　小麥一合炒　右用水一鍾半煑乾去麥爲
末以炒黄芪煎湯量皃大小誧服忌蘿蔔辛辣炙煿之
類乳母尤忌
二四 三陰煎
當歸二三フ　熟地三五フ　炙草一フ　白芍酒炒二フ

人參隨宜　棗仁二ㄗ　水二鍾煎七分食遠服

二五 人參養榮湯

人參二ㄗ　白芍炒一ㄗ半　陳皮　黃芪

桂心　當歸　白术　甘草炙各一ㄗ

熟地　五味炒杵　茯苓各七分半　遠志一ㄗ

右姜棗水煎服

二六 茯神丸

茯神　芦薈　琥珀　黃連

赤茯苓各三ﾂ 遠志黑豆水浸去骨 鉤藤去皮 蝦蟆灰各二ﾂ
菖蒲一ﾂ 射香少許
爲末粟米糊凡麻子大每十凡䓍荷葉煎湯下
二七 二一陰煎
生地二ﾂ 熟地三五ﾂ 白芍二ﾂ 麥門二ﾂ
甘草一ﾂ 牛膝一半ﾂ 丹參二ﾂ
水二鍾煎七分食遠温服
二八 當歸六黄湯

當歸　熟地　黃芪炒　黃栢以下俱炒黑

黃芩　黃連　生地各等分　每服二ㄉ水煎

二十九　加減一陰煎

生地　白芍　麥門各二ㄉ　熟地三五ㄉ

炙草五七分　知母　地骨皮各一ㄉ　水二鍾煎服

三十　仲景竹葉石羔湯　半夏五分

石羔五ㄉ　人參一ㄉ　麥門一ㄉ半志　甘草七分

淡竹葉十四片　粳米一大撮　六十四黍爲圭　四圭爲撮

水煎八姜汁二匙調服

三一 參附湯

人參　附子炮去皮臍各五ㄗ　每服一ㄗ姜水煎服不應倍之

三二 芪附湯

黄芪　附子炮芣分　每服一ㄗ姜水煎服

三三 溫驚凡

胆星四刃　硃砂半一ㄗ　天竺黄五ㄗ

竜腦　紫𤎌脂

右各别研爲末用黄牛胆汁凡父寔大每服半凡砂糖湯下

三四 凉驚凡

黄連五分　竜脳一分研　防風五分　青黛三ㄗ研

鈎藤鈎二ㄗ　牛黄一分　射香一分　竜胆草酒拌炒黑

右各另研爲末麵糊凡粟米大每服三五凡至一二十凡

金銀煎湯下

三五 古芷砂散

白芷一刄　硃砂五ㄗ　爲末每一ㄗ茯神麥冬湯下

三六 錢氏白术散

白术　人参　茯苓　甘草

藿香各四分　葛根八分　枳壳　五味

木香　柴胡各二分　水煎溫服

三七 四味肥兒凡

黄連　蕪荑炒　神曲炒　麥芽炒

右爲末糊凡梧子大每服一二十凡空心白湯滚下

三八 大安凡

保和凡加白术卽名大安凡

三九 補中益氣湯

人參　黄芪各八分　白术　甘草

陳皮各五分　升麻　柴胡各二分　當歸一ㄅ

姜棗煎服

四十 七味竜胆瀉肝湯

龍胆　澤左各一ㄅ　車前　木通

生地　歸尾　山梔　黄芩

甘草各五分　水煎服

四一 連喬飲

連喬　瞿麥　荊芥　木通

赤芍　當歸　防風　柴胡

活石　蟬蛻　甘草　山梔

黄芩各等分　右爲末每服二ﾌ加紫草水煎服之

四二 感應丸　木香二ﾒ

百草霜　丁香　乾姜各一ﾒ　杏仁四十九粒

肉豆蔻十二枚　巴霜七十二枚　一方有黄丹乳香

右爲末用黄蠟濾去渣又用酒煑溶取浮者四月如春夏用清油一刄秋冬用一刄半熬熬八蠟前溶化候温八前末藥和匀油紙包褁旋凡梧子大小皃凡麻子大每二十凡空心米湯或姜湯下

四三 胡黄連凡

胡黄連　黄連各五刄　硃砂二刄另研

右爲末填八猪胆内以線札懸掛罐中淡漿水煑滚沸取出研八芦薈射香各二刄飯凡麻子大每服一二十凡飲米下

四四 清神凡

四五 洗心散

生地　荞穗　防風　甘草

黄芩　姜活　赤芍各等分

右爲末每服一刁灯心荷湯下

四六 一字散

南星半用炮製 微　蟬蛻微炒　乾蝎　白殭蚕各一分

右件擣羅爲細末次八蕎麥麪一分用醋石榴壳一枚將諸藥八石榴壳内塩泥封裹於灶下漫火上焼之以泥乾燥爲度取出再研匀每服一字温酒調下

四七 瀉黃散

白芷　升麻　枳壳麪炒　黄芩

防風各一ソ半　半夏姜湯炮七次二分　石斛二分　甘草七分

姜三片水煎食後服

四八　木香半夏丸

木香　半夏　丁香各四ソ　白姜

白朮　青皮　陳皮各二ソ半

右爲末蒸餅丸麻子大一歲十丸二歲倍之米湯灌下

四九　紫霜丸

代赭石煆用醋碎七次　赤石脂各一月　杏仁五十粒麩炒　巴豆三十枚去膜油心

右先将杏仁巴豆研成膏八代赭石脂末研匀湯浸餅

蒸凡粟米大每服五凡米飲下

五十　黑散子

五一　柴胡散

人參二ㄱ　甘草二ㄱ微炙　麥冬二ㄱ去心　竜胆草酒炒黑
防風各一ㄱ　柴胡五分　右每服一ㄱ水煎

二五
當歸散
當歸　白芍　人參各二ㄱ　甘草二分炙
桔梗　橘皮各一ㄱ去白　右爲末水煎半盞時又服共

三五
調氣散
木香　香附　人參　橘皮
藿香　甘草各一ㄱ炙　右爲末每服一ㄱ姜棗水煎服

五四 紫陽黑散

麻黄二兩去節　大黄半兩　杏仁去尖去土一錢半研

右以前二味和一處杵碎畧燒存性後入杏仁膏和之

瓷器盛貯每用一豆許乳汁和嚥之

五五 養中煎

人參二錢　山藥炒二錢　扁豆炒三錢　炙草一錢

茯苓二錢　乾姜炒黄一錢　水二鍾煎七分食遠温服

五六 虎潜丸

黄栢半斤　知母三両　亀板四両　鎖陽一両半

熟地　陳皮　白芍各一両　虎骨一両

右散末猪脊髓爲凡梧子大每五六十凡空心塩湯下

乾物壓之

五七封顖散

射香一字　蝎尾去毒　菖荷三分　蜈蚣

青黛　牛黄各一字

右同研末用熟棗肉剤爲膏新綿上塗匀貼顖上四旁

可出一捐許火上炙手頻熨百日裏外小兒可用

五八 緊皮丸

蓽澄茄三ㄱ　乾漆二ㄱ　枳殼四月　蒼朮

烏藥　三稜　莪朮　木香

砂仁　紅豆蔻　草菓　茯苓各一月

爲末醋糊丸腫消後卽服

五九 鹿茸四斤丸

肉蓯蓉　天麻　兎絲　牛膝　熟地

杜仲　鹿茸　木瓜各半

右爲末蜜凡梧子大每服五十凡空心米湯或酒下

六十　小續命湯

麻黄　人参　黄芩炒　川芎

白芍　甘草　杏仁去皮尖炒　防已

官桂去皮各八分　防風二ㄱ五分　附子炮去皮四分　姜棗水煎服

六一　烏藥順氣散

烏藥　橘紅各一ㄱ　乾姜一分半　枳壳

殭蠶　川芎　白芷　桔梗

甘草各五分　麻黃一ㄱ半　姜棗煎微温服

六二 地黃房膏凡

六三 生熹地黃凡

生地　熟地　玄参　石斛各一刄

右爲末蜜丸梧子大每服五十丸空心茶清下

六四 黃連肥皃丸

黃連　神曲各一刄　麥芽　史君子各五刀

蕪荑　青皮各二刀

右爲末猪胆汁浸膏丸梧子大每服三四十丸米飲下

六五 消乳食丸

砂仁　陳皮　三稜煨　莪术煨

神曲炒　麥芽各半兩炒　香附炒一兩
右爲末麪糊凡麻子大每服二三凡紫蘓煎湯下
六六清肝散
川芎　當歸各一ワ　白芍一ワ半　柴胡八分
山梔　丹皮各四分　水煎服
六七人參清肺湯
人參　烏梅　桑白皮　地骨皮
知母　阿膠　桔梗　甘草

瞿粟殼　杏仁各分等　姜棗煎八客匕一澄清温服

六八益氣湯

六九生地清肺湯

桑白皮炒半月　紫蘇　柴胡　防風

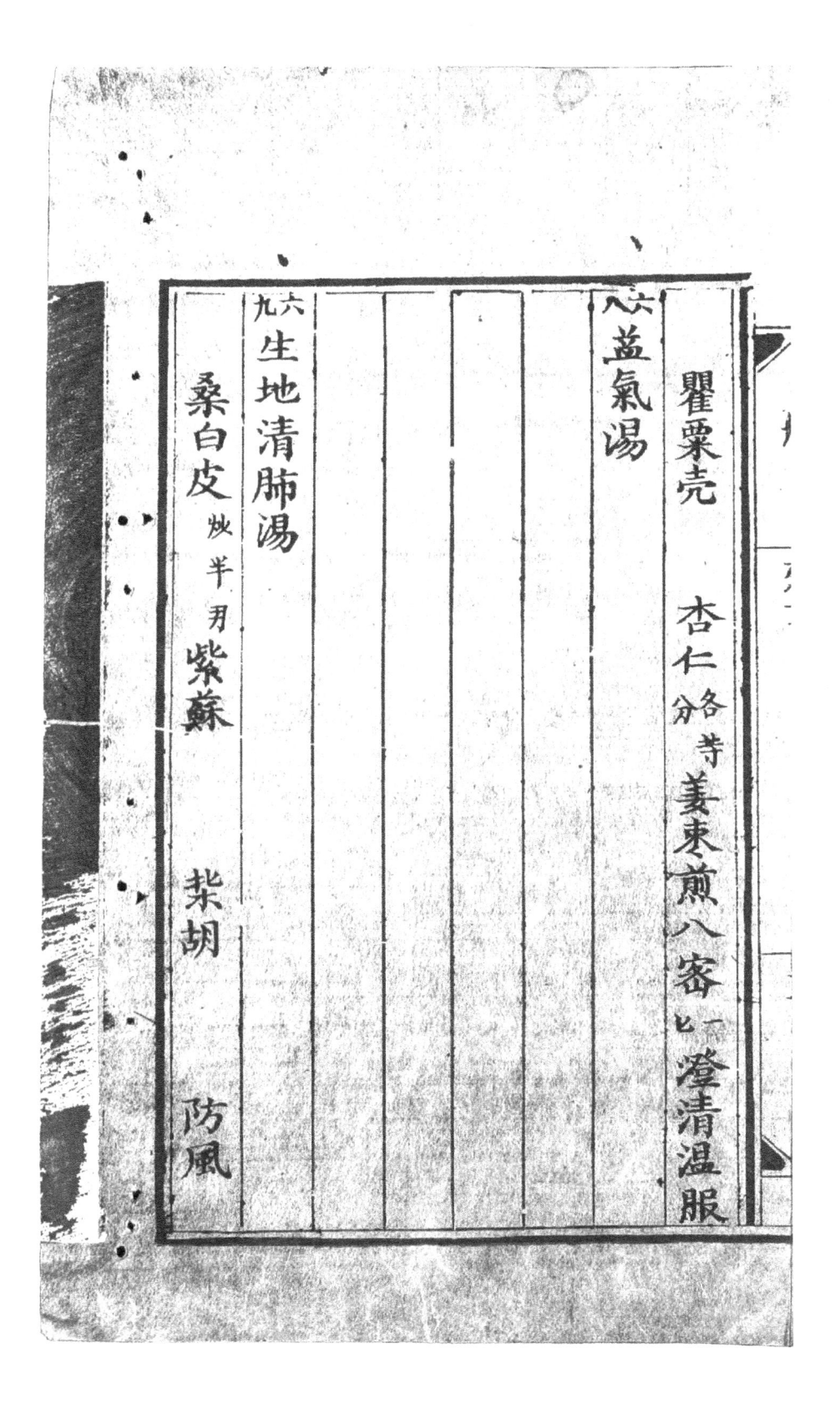

赤茯苓　黄芩　當歸　天門
連翹　桔梗　生地　甘草各三ㄋ半
右剉散每服二ㄋ井水煎食後服
七十
蘭香散
蘭香葉燒灰二ㄋ　銅青　輕粉各五分
右爲末先用漿水洗拭乾貼
七一
白粉散
海螵蛸三分　白芨二分　輕粉一分

右爲末先用漿水洗拭乾貼

七二 搽牙散

銅緑　雄黄　五倍子　枯礬

黄連　細辛　烏梅用蝎子包固火煆存性各等分

右爲末搽之

七三 馬鳴散

人中白半月即溺缸底白垽以物刮取用新瓦盛之火煆過如白鹽乃佳

馬鳴蜕即蚕退紙也火燒過二ヮ五分五倍子生用一ヮ另用一ヮ同塩炒枯

白礬一ヮ鎚碎另用五倍子一ヮ八礬於内用火煆枯

右爲極細末洗以米泔濃汁以此傳之

七四 蟾蜍凡

蟾蜍一枚夏月溝渠中取腹大不跳不鳴身多癩者

右取糞蛆一枚置桶中以尿浸之却將蟾蜍跌死投與蛆食一晝夜用布袋盛蛆置急流中一宿取出尾上焙乾爲末八射香一字粳米飯凡麻子大每服三十凡米飲下

其效如神

七五 溺白散

用婦人溺桶中白垢五ㄅ火煅白礬枯過白霜梅存性各二ㄅ爲末元韮根陳茶煎湯濃汁以鷄翎醮熱汁刷去腐肉洗見鮮血然後敷藥日三次爛至喉者以小竹管吹之

七六 退黄凡

青礬二月鍋内溶化八陳黄米四斤用醋伴匀漫火炒

令煙尽爲度加八平胃散六月同炒乂頃去火毒水腫

合四苓散一料同炒爲末醋糊凡梧子大每服七十凡

空心臨卧陳米飲下

一方只用青礬蒼术等分炒凡亦效

七七 大異香散

三稜　莪术　青皮　陳皮

半夏　藿香　桔梗　益智

香附　枳壳各五　甘草半分　姜棗煎服

、七八香連豬臟丸

木香五ﾘ　黄連　生地　青皮

銀柴胡　鱉甲各一ﾒ　爲末入豬肚索縛定於砂

堝内煑爛取出擣末丸梧子大小兒黍米大每卅丸米

、飲下七九黄連丸

黄連五ﾘ胆汁浸ﾒ晒　㕦萋根　烏梅肉　杏仁浸去皮焙

石蓮各二ﾘ

爲末胆汁浸糊丸麻子大每服一二丸烏梅姜蜜湯下

八十 木香凡

木香　青黛　檳榔　肉豆蔻

射香 各一ㄱ五分　續隨子 一月去油　蝦蟆 三个燒存性

右爲末蜜凡菉豆大每服三五凡煎萡荷湯下

八一 七味白术散

霍香　白术　木香　白茯苓

甘草　人参 各等分　乾葛 加倍　每ㄱ二水煎服

八二 安神凡

麥門去心焙　牙硝　白茯苓　山藥

寒水石　甘草各五匁　硃砂一匁　竜腦一分半

右爲末煉蜜丸芡實大砂糖水化下

八三 四苓散

猪苓　茯苓　白朮　澤左各一匁半

爲末每二匁白湯調下

八四 大芦薈丸

胡黃連　黃連　白蕪荑去扇炒　芦薈

木香　青皮　白雷凡破開赤者不用

鶴虱微炒半月　射香一ゥ　爲末飯凡米大

八五 防風通聖散

白芍　芒硝　活石煆　大黄煨

桔梗　石羔煆　荊芥各四分半　山梔

白朮　川芎　連喬　麻黄　當歸　薄荷

甘草　防風　黄芩各八分散每服三ゥ姜葱白同煎服

八六 元參升麻湯

玄参　赤芍　升麻　犀角鎊末
桔梗　管仲　黄芩各一匁　甘草半匁
作一劑水二鐘煎八分入犀角末調食後服

八七 犀角消毒飲
牛旁子一匁二分　荊芥二分　甘草四分　防風
升麻各三分　犀角　黄芩各一分　水煎温服

八八 人参敗毒散
人参　茯苓　川芎　羌活

獨活　前胡　柴胡　枳殼
桔梗各一ㄗ　甘草五分　右每服一ㄗ加生姜薄荷煎服
八九虎睛凡
虎睛細研　遠志　犀角　大黄湿紙裹煨
石菖蒲　麥門冬各芽分　蟯螂三枚去足翅炒
爲末糊凡桐子大每服一二凡竹葉湯或金銀薄荷湯下
十九四柴胡飲
柴胡一二ㄗ　炙草一ㄗ　生姜七片　當歸三ㄗ瀉者少用

人參二三ㄗ或五七ㄗ　煎服
酌而用之

一九一　扎金凡

人參　琥珀　白茯苓　遠志姜製取肉爆炒

硃砂　天麻　石菖蒲　川芎

南星　青黛各一ㄗ　射香一分

右爲末蜜凡梧子大每一二凡金銀箔荷湯下

一九二　五苓散

茯苓　猪苓　白朮　澤左各等分

肉桂減半　右爲末每服四ㄅ白湯調下

九三 瀉青丸

龍胆草炒　川芎　防風　大黄炒

羌活　梔子各等分

爲末蜜丸芡實大每服一丸砂糖湯化下

九四 白玉餅

白附子　南星　活石　軽粉各一ㄅ

巴霜十九粒

右爲末糊凡菉豆大押作餅三歲一凡葱湯化下

九五 啟脾散

蓮肉一月　白术　茯苓　山藥

神曲　山査各五ㄱ　人參　猪苓

澤左　霍香　木香　當歸

白芍　砂仁各三ㄱ　肉蔻三分　陳皮二ㄱ

甘草一ㄱ 爲風加神砂滑石各二ㄱ爲末仁意姜湯調服 初生兒塗乳頭上服之百日愈後俱用此調脾爲主

九六 惺惺散

桔梗五分　細辛一分　人參　甘草
茯苓　蔓荊　川芎　白芍　白朮各五分　薄荷半分
水一盞姜三片水煎服

九七、參蘇飲
前胡　人參　蘇葉　乾葛
半夏　茯苓各七分半　枳殼　陳皮
炙草　桔梗　木香七分半　煎服

九八、人參羌活散

人參　羌活　獨活　前胡　柴胡

桔梗　茯苓　枳梂麸炒　川芎各五分

天麻　地骨各二分半　甘草各ソ一　入蒲荷三葉煎服

九九大青膏

天麻　青黛各ソ一　白附煨　烏蛇肉酒浸取焙

蝎尾各五分　天竺黄　射香

右爲末蜜凡豆大每用半凡泊荷湯化下

百五福化毒丹

生地　熟地焙各五両　天門　麥門去心各三両
紺硝　玄參　甘草各二両炙　青黛一両半
右上六味爲細末後研八硝黛蜜煉丸如鷄頭大每服
半丸或一丸食後熟水湯化下

一百一、腎氣丸

茯苓三両乳浸　附子ㄋ五　牛膝一両酒炒　肉桂一両
澤瀉酒炒　車前炒　山茱酒炒　山藥飯上蒸炒
丹皮酒炒各一両　熟地四両酒煮

右爲末蜜丸梧子大每服四五ヶ空心白湯下

二百二　來復丸

、二百三　三生飲

南星ヶ二　川烏去皮尖　附子一ヶ　木香二ヶ五分

右剉生姜十片水煎温服

四百、清膈散

陳皮半ソ　貝母二ソ炒破微　胆星三ソ　海石二ソ

白芥五分　木通二ソ　煎服

五百、梅花散

硼砂　馬牙硝　芒硝　神砂各一ソ

人參二ㄅ　甘草五ㄅ　片腦半分　射香一分

右研末磁器收貯每服半匙麥門湯調服或泊荷湯亦可

、百六抑青丸

軟柴胡　甘草各五分　川芎八分　當歸

白朮　茯苓　鉤藤各一ㄅ　右爲末蜜丸

、百七黃連安神丸

黃連酒洗六ㄅ　甘草六ㄅ　生地　當歸各一ㄅ半

硃砂五ゾ過罨　右爲末飯糊凡梧子大每服十五凡

心空白湯滾下如二三服不應當服歸脾

百八 牛黃散

牛黃研　甘草各半刄　柴胡　梔子酒炒

竜胆草酒炒　黃芩炒各二ゾ半

右爲末每服半ゾ以金銀淯荷煎湯化下

百九 抑肝散

柴胡　甘草各五分　川芎八分　當歸

白朮　茯苓　鈎藤各一
右水煎子母同服加蜜凡名抑肝凡

百十五　五積散
人参五分　白芷　川芎　白芍　甘草
茯苓　當歸　肉桂各三分　陳皮
麻黄各六分　厚朴制　乾姜各四分炮　桔梗一分半
枳殻五分　半夏二分炮　蒼朮七分半　姜葱煎服

百十一　星蘇散

南星署炮剉　右每服五七分姜四片紫蘇五葉水煎

八雄猪胆少許温服

百十二安神鎮驚凡

棗仁　麥門　當歸　生地

赤芍各三ソ　蒟荷　木通　黄連姜汁炒

山梔　神砂另研　牛黄另研　竜骨各二ソ煆

青黛一ソ另研

右爲末蜜凡菉豆大每服二凡量兒加減淡姜湯下

百十三 蘇合香凡

射香研　訶子煨去核　薫陸香另研　竜脳各一ヲ

木香　白术　白坛香　丁香

硃砂研水飛　沉香　香附炒去毛　烏犀角

蓽撥各二ヲ　安息香另爲末用無灰酒熬膏

蘇合香油一ヲ入安息香膏內

爲末研匀用安息膏并蜜和凡梧子大井花水化服一二凡

百十四 陳氏十二味異功散

木香三分　官桂去粗皮二分　當歸三分　人參

茯苓　陳皮　厚朴　白朮各二分

半夏　肉豆蔻二分　附子炮去皮一分　丁香二分

右每服三五刁，姜三片，棗三枚，水煎，量兒大小服。此藥

家傳五世，累經效驗。

百十五　保和湯

生地　人參　紅花　紫草

桔梗　山查　川芎　甘草

木通　糯米

燈心十莖姜三片煎服

百十六和胃飲

陳皮　炙草一ㄱ　厚朴各一ㄱ半　乾姜炮一二ㄱ

水一鍾半煎七分温服

百十七消食丸

縮砂　橘皮　三稜　莪朮

神曲　麥芽炒各半刄　香附炒一刄

右爲末神曲糊凡麻子大白湯送下量皃加減

百十八 五味異功散

人參　茯苓　白朮　甘草

陳皮各等分　爲末每服二三ㄱ姜煎服

百十九 七福飲

人參　熟地各隨宜　當歸二三ㄱ　白朮一ㄱ半

炙草一ㄱ　枣仁一二ㄱ　遠志三五ㄱ

水二鍾煎七分食遠温服

百二十 秘旨安神丸

人參　半夏　棗仁　茯神各一ﾌ

當歸　橘紅　赤芍炒各七分　五味五粒

甘草炙三分　右為末姜汁糊丸芡實大每服一丸生姜湯下

百三十 五君子煎

人參三ﾌ　白朮　茯苓各二ﾌ　炙草一ﾌ

乾姜　水一鍾半煎服

百三十 六味異功煎

人參二三ㄱ　白朮　茯苓　炙草

乾姜各二ㄱ　陳皮一ㄱ　水二鍾半姜三片棗二枚煎溫服

、、三百三 六神散

人參　山藥　白朮各五ㄱ　炙草三ㄱ

茯苓　扁豆炒各一月　右爲末每服二ㄱ姜棗煎服

一方有芍藥當歸人參各二ㄱ五分　甘草桔梗陳皮肉桂各二ㄱ

、三百四 胃關煎

熟地三五ㄱ或一月　山藥炒　扁豆炒　炙草各二ㄱ

焦姜一ヿ　吴茱五七分　白术二三ヿ

水二鍾煎七分食遠温服

百二五　温胃飲

人参二三ヿ或一月　扁豆二ヿ炒　白术二三ヿ或一月　陳皮一ヿ或不用

焦姜一二三ヿ　炙草一ヿ　當歸二ヿ滑泄者勿用

水二鍾煎七分食遠温服

百二六　理陰煎

熟地三五七ヿ或一月　當歸三五六ヿ或　焦姜一二三ヿ　炙草一二ヿ

或加肉桂三ㄱ

水二鍾煎七分温服此方加附子即名附子理陰煎

二百二十七 生脉散

人參五ㄱ　麥門二ㄱ　五味一ㄱ　水煎服如不應倍之

二百二十八 硃砂安神丸

硃砂四ㄱ　黄連　生地各半ㄱ　生草二ㄱ半

蘭香葉燒灰二ㄱ　銅青　輕粉各一分　右爲末敷上

二百二十九 人參黄連散

人參二𠂊半　黄連半𠂊炒　炙草五分

竹葉二十片　右差水煎服

三百柴胡清肝散

柴胡一𠂊五分　黄芩一𠂊炒　人參一𠂊　山梔一𠂊五分

川芎一𠂊　連喬　桔梗八分　甘草五分　煎服

三百六君子湯

人參　白朮　茯苓　炙草
陳皮　半夏　各等分　姜棗水煎徐又服
百三十二　加味歸脾湯
即歸脾加牡丹　山梔各一フ　水煎服
百三十三　加味小柴胡湯
即小柴胡湯加山梔　牡丹　姜水煎服
百三十四　柴胡清肝散　已見在上
百三十五　保命丹

全蝎ケ十四　防風　南星　蟬蛻
殭蠶　天麻　琥珀　白附
神砂各一ワ　射香五分　有熱加牛黄片脳
一方加姜活爲末粳飯搗凡皂子大金泊(十七)片爲衣初
生兒半凡乳汁化下十歲以上兒二凡葯藤灯心湯或
泊荷金銀煎湯化下

百三六　益黄散
陳皮一ワ　丁香二分　訶子皮炮去　青皮

甘草各五分　右爲末每服二ㄱ水煎服

百毛术梅凡

鮮南星ケ二十五　鮮半夏ケ五十　皂角　石礬

食塩　防風　朴硝各四月　桔梗二月

畧熏梅子ケ百

先将塩水浸化梅子然後将各藥研碎入水拌匀方以梅子入藥水中浸過三宿爲度晒至水乾以磁礶收貯密封如霜起最妙用時以綵囊裹定噙口中令津液徐下

三百三十八 大利驚凡

南星二ㄱ　白附　牙硝　天麻

五靈脂　全蝎ㄱ各一　輕粉五分　巴霜一字

右爲末糊凡麻子大每服一凡蒲荷生姜炮湯下

三百三十九 賽命丹

蟾酥　硃砂　雄黄　胆礬

血竭　乳香　没藥ㄱ各三　蜈蚣

射香各五分　細辛　全蝎　蟬退

穿山甲　殭蚕　牙皂各六　白礬用五倍火許同枯去倍不用

片腦各五　為末端午日服後喫白粥用酒糊凡

菉豆大每三凡用葱酒一小盞吞下被盖出汗或吐或

不汗再進一凡服後喫白粥忌黃瓜水茄一切驚風之物

○百草神砂妙香凡

百四一 大温驚丸

人參　茯苓　白术　神砂

麥門　朮香　代赭石各五刄　甘草

棗仁各一刄　殭蠶　桔梗尾各二刄半　全蝎五个

金泊　銀泊各六令

爲末蜜丸菉豆大量皃大小服之

千金竜胆湯百四二已見在第二十

百四三 小凉驚凡

鬱金二个，皂角水浸用　黄連　牙硝　木香

霍香　胆草各五ㄅ　全蝎大个

爲末糊凡麻子大雄黄射香硃砂金銀泊爲衣每五七

凡隨症引湯化下

百四四 人參養胃湯、

人參五ㄅ　厚朴姜制　蒼术炒　半夏制各一刃

霍香　草菓仁　茯苓各五ㄅ　甘草炙二ㄅ

橘紅各五分每服五ㄱ姜三片烏梅一个水煎熱服

百四十五 硃銀凡

水銀　蒸枣肉研如泥　全蝎各一ㄱ　白附二ㄱ半

南星　硃砂　片腦各一字　天漿子

牛黄　芦薈　射香各半分　船霜五分和水銀研

姜蚕个七　右爲末粟米糊凡芥子大每一凡荷

湯下利去胎中蘊熱毒爲度未利再服

百四十六 蜜導法

用白蜜二刃於銅杓內微火熬令滴水不散入皂角末二
少許 鹽少 薑汁少許 捻成小棗長寸許兩頭既蘸香油推入穀道中
大便得卽急去如未通再易一條外以布掩肛門須忍
住密待糞至方放開布

百四七 人參養胃湯 已見在百四四

百四八 神砂膏

神砂三フ　硼砂　牙硝各一フ五分　玄明粉

全蝎　珍珠各一フ　射香少許

右爲末每服一豆許諸驚蒲荷湯下潮熱甘草湯下月内用乳汁調塗乳頭令吮之

、四百九 斷癇丹

黄芪蜜炙 鈎藤鈎 細辛 炙甘草各半两

蛇脱二寸酒炙 蟬蜺四个 牛黄一字另研

爲末煑棗肉凡麻子大煎参湯下每服效凡量兒加減

、四百五十 寛熱飲

枳殻一两水浸去穰 以巴豆四十九粒同炒黄去巴豆 大黄一两 朴硝五錢 甘草一錢

爲末每三五分泊荷煎湯服

一百五一　四磨湯

人參　梹榔　沉香　烏藥

各苛分磨濃水取一盞煎三五沸食後服

二百五二　歸牛散

肉桂　牽牛各五ㄱ　當歸　大黄

桃仁各二ㄱ半　全蝎一ㄱ　每一ㄱ八密煎服利後以

青皮陳皮茯苓木香砂仁甘草生姜煎服和胃

百五三 麻黄葛根湯

葱白七莖 豆豉一合 麻黄三ㄗ 葛根一ㄗ半

白芍三ㄗ 姜五片煎服

百五四 鈎藤散

鈎藤鈎 茯神 川芎 木香 茯苓

當歸各一ㄗ 甘草五分 右爲末每服二ㄗ姜棗煎服

百五五 滚痰丸

大黄 黄芩各一月 沉香五ㄗ 礞石

硇硝各一両

先取石硝二味同入砂礶内盖之鉄線縛定塩泥固濟晒乾火煆紅候冷取出同前藥爲末水凡梧子大或加硃砂二両爲衣每四五十凡量皃加减食後臨卧清溫𣽅水送下

百五六 團參散

新羅人參　川當歸各二フ　右細剉用雄猪心一个切二片每服二フ猪心一片水一盞半煎食前作兩服

百五七 獨參湯

人參一爿　姜十片棗十枚水煎服

百五八　茯神湯

茯神　棗仁　黄芪　栢仁

白芍　五味各一爿　桂心　熟地

人參　炙草　每二三ワ煎服

百五九　導赤散

生地　木通　甘草各卄分

右爲末每服一ワ淡竹葉水煎服

百十六 竜腦安神丸

茯神三戔 人參二戔 地骨皮 甘草炙各一戔

麥門各二戔 桑白皮炒 犀角屑各一戔 牛黃五分

竜腦 麝香各三分 硃砂 馬牙硝各二分

爲末蜜丸彈子大金泊十五片爲衣每一丸冬月溫水夏月冷水化下小兒量服之

百六十一 神砂化痰丸

神砂 枯礬各五分 南星一戔 半夏麴三戔

爲末姜煑糊凡梧子大另用神砂爲衣每用十凡姜湯下

百六十三 天麻防風凡

天麻 防風 人参各一刄 全蝎七ケ

殭蠶 粉草各五ㇷ 雄黃 硃砂各二ㇷ半

牛黃一ㇷ 射香五分右爲末蜜凡梧子大每服一凡薄荷煎湯下

百六十三 五柴胡飲

柴胡一二三ㇷ 當歸三五ㇷ 熟地三五ㇷ 白朮二三ㇷ

白芍一ㇷ半 炙草一ㇷ 陳皮酌用或不用

水一鍾半煎七分食遠温服

百六四 正柴胡飲

柴胡一钱二分三 防風一钱 陳皮一钱半 白芍钱二

甘草钱一 生姜三五片水一鍾半煎七八分熱服

百六五 錢氏黄竜湯

柴胡 黄芩 人参各钱二 甘草煎服

百六六 柴芩煎

柴胡二钱三 黄芩 梔子 澤左

木通各二ヮ　枳殻一ヮ五分　水二鍾煎八分温服

百六七　二柴胡飲

陳皮一ヮ半　半夏ニヮ　細辛一ヮ二　厚朴一ヮ半

生姜三五七片　柴胡一ヮ或三ヮ半　甘草八分　水煎服

百六八　柴陳煎三

柴胡二三ヮ　陳皮一ヮ半　半夏二ヮ　茯苓二ヮ

甘草一ヮ　生姜三五七片　水煎服

百六九　瀉心湯

黄連爲末每服五分臨卧温水化下

百七十　柴胡飮子

柴胡　人参　白芍　當歸

黄芩　大黄　甘草各半ㄗ

右㕮咀隨大小加減姜煎服

百七十一、錢氏牛黄丸

雄黄研水飛　天竺黄二ㄗ　牽牛末一ㄗ

右同再研麵糊爲丸粟米大每服三丸至五丸泊荷湯下

、百七二 地骨皮散

地骨皮　茯苓　甘草　柴胡

前胡　半夏　人參　知母各等分

右爲凡每服一二凡水煎

、百七三 涼膈散

連翹一つ　山梔　大黄　黄芩

竹葉　泊荷各五分　朴硝二分半　甘草一つ半

水煎八盞火許調服

百七四 滋腎凡

黄栢酒炒二刄　知母炒三刄　肉桂三フ

右爲末水糊凡麻子大每服三五十凡白湯下水調服亦可

百七五 保陰煎 水二鍾煎七分食遠温服

生地　熟地　白芍各二フ　山藥

川續斷　黄芩　黄栢各一フ半　甘草五分

百七六 二黄犀角散

犀角屑　大黄酒蒸　鈎藤　梔子

甘草　黄芩各半刄

右爲末每服五分熱湯調下量皃加減

、百七十七　四順清凉飲

赤芍　當歸　甘草　大黄各等分

每一ㇷ水煎服

、百七十八　清化飲

白芍　麥門各二ㇷ　牡丹　茯苓

黄芩　生地各二三ㇷ　石斛一ㇷ

、百七十九 抽薪飲

黃芩　石斛　木通　梔子

黃栢各一ㄗ二分　枳殼五分　澤左五分　細甘草二分

、百八十 大分清飲

茯苓　澤左　木通　猪苓

梔子倍　枳殼　車前各一ㄗ

水一鍾半煎七分食遠温服抽薪湯飲亦然

、百八十一 玉泉散

石羔六月生用　粉草一月　右爲極細末每服一二三ノ

新汲水或熱湯或人參湯下此方加硃砂三ノ亦妙

、百八二王女煎

生石羔ノ三五　熟地三五ノ或一月　麥冬ノ二　牛膝　知母ノ半

水一鍾半煎七分或溫服或冷服

、百八三人參建中湯

炙草　桂枝　生姜各三月　大棗十二枚

膠飴一斤　加人參二月　芍藥三月　微火解服

百八四 大營煎

當歸二三或五三ㄱ 熟地三五七ㄱ 枸杞二ㄱ 炙草一ㄱ

杜仲二ㄱ 牛必一ㄱ半 肉桂一二ㄱ

水二鍾煎七分食遠温服

百八五 五物煎

當歸三五七ㄱ 熟地三四ㄱ 白芍二ㄱ 川芎

肉桂一二三ㄱ　水一鍾半煎服

百八六 六味丸

熟地八刄　山茱　山藥各四刄　牡丹

澤左　茯苓各三刄

右各另爲末和地黄膏加煉蜜丸梧子大每服七八十

丸空心食前滚湯下

百八七 八味丸

熟地八刄　山茱　山藥各四刄　牡丹

澤左　茯苓各三刄　肉桂　附子各一刄

各另爲末和地黃膏加煉蜜凡梧子大每服七八十凡

空心食前滚湯下

百八八、四君子湯

白术　人參　茯苓　炙草

水一盞煎至七分食遠溫服

百八九、四物湯

熟地　當歸　白芍　川芎

水一鍾半煎七分食温遠服

百九十 八珍湯

白术　人参　茯苓　炙草

當歸　熟地　白芍　川芎

水二盞煎至一盞去滓食遠温服

百九十一 十全大補湯

白朮　茯苓　人参　炙草

當歸　白芍　川芎　熟地

黄芪　肉桂

水二盞煎至一盞姜三片枣二枚温服

百九二 化虫丸

大黄　黑豆各一两　山查　莪术各六钱

槟榔　大腹皮各四钱　雷丸　砂糖各三钱

木香二钱　皂角一钱　為末沸湯調量人大小實虛服之

百九三 脱甲散

麻黄　柴胡　當歸　知母

胆草各三分人參川芎各二分茯苓二分半甘草

四分治發熱頭疼日久不瘥表熱不解加姜葱煎服
麻黄裏熱不解加大黄

百九四、紅綿散

白姜蠶炒二月天麻生用一片南星切片油浸黄二月蘇木一郎五分月半

右爲末每服一ㄋ水一小盞入紅綿少許同煮至六分温服

百九五小建中湯

白芍五ㄋ　肉桂三ㄋ　甘草二ㄋ　飴糖半盞

姜三片棗四枚水煎去滓入飴糖溶化温服

、百九六 小柴胡湯

柴胡㚢三　人參　黄芩　半夏各ㄗ

甘草七分　加生姜三片煎温服

、百九七 大柴胡湯

柴胡　枳寔各二ㄗ二𠁅　半夏一ㄗ五𠁅　赤芍一ㄗ八ㄗ

大黄三ㄗ七分五ㄗ　黄芩二𠁅　右生姜紅棗煎不拘辰服

、百九八 大黄凡

青牽牛半生半炒　川芎各半𠁅　甘草一ㄗ　大黄一𠁅酒洗飯上蒸

右爲末糊凡麻子大每服效ノ温蜜水服後以溏利爲度量大小用

百九九 通心飲

木通　連喬　瞿麥　山梔

黄芩　甘草各三分　燈心麥門各少許水煎服

二百 瀉白散

地骨皮　桑白皮炒各二ノ　甘草一ノ

右爲末每服一二ノ八粳米效十粒煎服

二百二十一 瀉黄散
霍香七葉　石膏五ㄗ煅　甘草三ㄗ　防風
山梔一兩各炒用　右爲末每服二ㄗ水煎入蜜少許要兒乳母服之

二百二十二 凉痸凡

二百八三 甘露飲

生地　熹地　茵陳　天門

麥門　枇杷葉　枳寔　黄芩

石斛　甘草各等分　水煎服

二百四 八正飲

大黄酒蒸　車前　瞿麥　萹蓄

山梔　木通　甘草　活石ヲ煨各一

右爲末每二ヲ水煎服

二百五 保元湯

黃芪一ㄱ半 人参一ㄱ 甘草五分 水煎服

二百六 敗毒散

柴胡 前胡 川芎 枳殼

姜活 獨活 茯苓 桔梗

人参各一戔 甘草半戔 右每二ㄱ生姜泊荷水煎服

二百七 來復丹

硫黃硝石各一戔爲末八銚内微火温炒用栁木不住

手攬令陰陽氣相八両研細八五靈脂青皮（橘紅 陳皮）各二両爲末次八玄石末一両及硝黄末　和匀醋糊丸菀豆大每三十丸空心米飲下甚者五十丸小兒三五丸或一丸

二百八　河車丸

右紫河車郎小兒胎衣肥厚者一个洗浄重湯蒸爛研化八人參當歸末和匀爲丸菉實大每服五六丸（乳汁化下）

二百九　太乙丸

桔梗炒一月　藿香葉　白扁豆炒各半月　白芷

川芎各二刁

爲末蜜凡芡實大神砂爲衣每服一凡泊荷湯磨下糞

青白棗湯下夜啼灯心蔛藤湯下加白术白芍茯苓炒尤妙

二百十、枳术凡

白术四月　枳寔二月　爲末荷葉包煨爛飯凡

桐子大每服四五十凡空心白湯滚下

二百十一、二陳湯

半夏一ㄱ 橘紅ㄱ各五 茯苓三ㄱ 甘草五分一ㄱ

右每服二三ㄱ烏梅一个姜枣水煎服

十二二百十二、青蒿飲

青蒿 桃枝握各一 葱白 甘草寸各三

用童便二碗煎至碗半去渣八阿魏一分再煎二三沸分二分臨服時八拱榔末五ㄱ調下如惡心欲吐之後令心安再進一服其虫定出送藥人不可與同病人對立恐虫傷人若男病女煎女病男煎忌鷄犬惡物患者

皆宜各進三服一年内宜五服則病根除

二百十三 平胃散

厚朴姜汁浸一ㄌ　陳皮一ㄌ　甘草八分

蒼术米泔浸焙二ㄌ　生姜三片煎服

二百十四 啟脾凡

人參　白术　茯苓　山藥

蓮肉各一ㄌ　陳皮　澤左　山查

甘草各五ㄌ　爲末蜜凡桐子大每服一凡空心飲下化

二百二十五、抱龍凡

胆星一two　天竺黄五ㄅ　雄黄　神砂各二ㄅ半

射香少許　右爲末用甘草一个煎膏爲凡芡實大

用泊荷或燈心湯下

二百二十六、理中凡

人参　白朮　焦姜　炙草

右爲末麵糊凡菉豆大每服十凡米飲下或一二九不拘時服

二百二十七、阿膠凡

明阿膠一刄麪炒能補氣不足　馬兜鈴五ク主肺熱咳嗽清肺補肺

糯米一刄　炙草一ク　杏仁七个去皮尖下喘用治氣也

鼠粘子二ク五分　爲末每服二ク水煎服

、二百十八　固腸凡

竜骨　附子　枯礬　訶子各三刄

良姜一刄　木香五ク　赤石脂　丁香各一刄

白豆蔻　砂仁各六ク半

爲末醋糊凡梧子大每三十凡粟米湯下

二百十九、真人養臟湯

罌粟殼一ㇰ八分　人参　當歸　白术各三分

訶子六分　肉豆蔻二ㇰ半　木香七分　白芍八分

乾姜　肉桂各四分　水煎服

一方有甘草九分

二百二十、黄芩芍藥湯

黄芩ㇰ三　芍藥ㇰ二　甘草五分　棗二枚　水煎服

二百二十一、觀音散

人参一ク　蓮肉　神曲各二分　茯苓一分半
白术　黄芪　木香　白扁豆
甘草各一分　姜東煎服

二百二二 轉驚丸
人参　防風　白附子　姜蚕
全蝎各一ク　南星　天麻各二ク
右爲末彩麪糊丸梧子大每十丸姜湯下

二百二三 猪心丸

用雄猪心一个取香頭血三條和甘遂末一ク匀得
中将前猪心切作二邊入前甘遂在内用線縛定外以
湿紙荷葉色裹漫火煨熟不可過度取出入硃砂五
分同研乃作四丸每一丸用煨猪心煎湯化下後三丸
别用猪心煎湯下重者只守本方輕者加蘇合香丸
一粒服過半日不動又進一服如大便已下惡物即止

二百二四 五色丸

牛砂　真砂各五ク　水銀　雄黄各一ク

黑鉛三月同水銀結成砂

右爲末煉蜜凡麻子大每服三四凡煎金銀泊荷湯下

二百二五　誘行凡

麥門　烏梅　葛根　人参

甘草　蜜凡含化一凡勿喫冷水腹膨脹

二百二六　蘇葛湯

香附　陳皮　紫蘇　甘草

葛根　赤芍　升麻各五分　姜葱煎熱服

、二百二十七益元散

滑石六ㇷ　甘草一ㇷ　每服五六分白湯調下

、二百二十八升陽益胃湯

黄芪二ㇷ　人参　甘草各一ㇷ白术三分

陳皮四分　柴胡三分

加姜活獨活防風各五分以秋胆故用辛温瀉之茯苓澤

左各二分渴者勿用半夏一ㇷ黄連一分白芍五分姜棗煎服

、二百二十九消積丸

使君伍　丁香　縮砂各十二个　巴豆二粒去皮心膜　烏梅三个

右爲末麵糊丸黍米大每服三丸橘皮煎湯下

二百三十　紅子丸

莪术　三稜各二兩醋煮　青皮　陳皮各五兩

乾姜　胡椒各二兩　阿魏三分

右爲末陳粉糊丸梧子大礬紅爲衣每百丸生姜甘草煎湯下

二百三十一　枳寔理中丸

枳寔十兩麵炒　茯苓　人參　白术

乾姜二月　甘草二月

右爲末煉蜜凡竜眼大每服一丶凡熱湯代下連進二三服胸中豁然渴者加括蔞根一刄自汗者加牡礪二月

煆過下痢亦加

二百三二 大七氣湯

三稜　莪朮　青皮　陳皮

霍香　桔梗　官桂　益智各一フ

甘草七分半　香附一フ半　姜棗煎服

二百三十三 三白散
茯苓二月　桑白皮　白朮　木通
陳皮各五ㄱ爲末每二ㄱ姜湯調下

二百三十四 流氣飲子
紫蘇　烏藥　青皮　桔梗各五分
陳皮　茯苓　當歸　白芍
川芎　黄芪　枳寔　半夏
防風　甘草各七分大腹子一ㄱ木香二分半

一方有枳寔梹榔各五分姜棗煎服

二百三五 青木香凡

黒丑　補骨脂　蓽澄茄　梹榔各二月

青木香一月

如冷者去黒丑梹榔加呉茱香附爲末水凡梧子大每

服五十凡空心塩湯下

二百三六 消凡凡

胆星二フ　姜活　獨活　防風

天麻　人參　荆芥　川芎

細辛各一ㄅ

右爲末蜜丸梧子大每服一丸泊荷紫蘇湯化下

二百三十七　鎮心丸

牙硝白者　人參去芦各一兩　甘草　寒水石燒各一兩半

山藥　茯苓各二兩　硃砂　龍片

射香各一ㄅ三味俱研

右爲末蜜丸如鷄頭大如要紅八坯子胭脂即染胭脂二ㄅ

（此頁據中國國家圖書館藏本配補）

温水下半凡至一二凡食後服

火卷終

安勇縣知縣陳增題助二十貫　梓木一株

本省倉提領主守房薄題助一百貫

大壯社正隆品千户阮文會題助五貫

大壯社原百户阮文專題助一百十貫栗子十具

廣福社里長申文峻題助梓木一株

（此頁據中國國家圖書館藏本配補）

R.1150

○新鐫海上醫宗心領全帙卷之三十四

夢中覺痘卷　小引

痘瘡之症内經無一言及之惟曰癘疹何其簡易若是意者太古世淳人樸恬淡無爲必無醇酒五味之太過而得之輕也中古氣化轉薄所感者深實爲兒童之至厄生命之大關而其症每得於少陽司天之歲氣因火而發也明矣自相傳曰有年多吉有年多凶方亦如之抑知疫癘之輕症雖一方長幼相似而治療之機更以

虛寔寒熱有姝况於痘瘡旣由先天受毒之輕重稟賦之厚薄更關於後天氣血之盛衰豈可以其年其方而一槩乎夫痘之爲病惟氣虛血熱毒盛數者而已治之者以氣血而治痘此以德而勝人也以毒藥而治痘此以力而制人也大抵形症俱寔始終皆可治標形症原虛開手便當顧本如此治法痘家之能事悉矣若曲學偏見不窮陰陽消長之理天寺人事之宜虛中寔寔中虛膠執成方欲其補弊救偏不亦難乎倘不能而勉強

以爲能絶人生命死者不瞑目而含冤生者斷肝腸而
痛苦致害於人獲罪於天鬼獄沉淪必難逃矣余五歲
兒患痘遇醫失治不免哭魚在憂慼中披閱余兒五歲居悵安縣阮舍社戊
寅年三月九日患痘乃血虛血熱兼氣虛等症誤咱一医青威縣泉甘人名伯旋他一生素
善偃諧蠎說如流故令人致死不悟辰他以清热解毒連進六七剤得热退神清飲食
二便如常六七朝来膿漿滿足頂尊血附盘暈分明自以為十分全美至八九日忽起
暴热神昏譫語他云餘毒未淨再進清觧效剤未効即以大黄攻下纔二剤後热退寒
生外則灰白倒靨内則寒戰咬牙下痢蛇虫他見勢頭不好遂托以别故脫去余急
延效個辰医卒是甫常料不及事再遠請一名医但治法用藥皆治病之常經先治病
之妙手至二十五日兒亡抑知此痘症係血虛血热兼氣虛法於出靑後雖宜清解其
毒又宜凉補其血已見熱勢減半當間入補氣藥一二分預為氣虛地步以杜泄泻
之机待至膿变微黄毒已尽化則峻用参芪温補方能及事若漿靨而後發热亦
是回漿燒痂之候當咱其自然倘熱甚則補中兼清使壮熱亦不傷阴虛寒亦不

甲卷　引　二

敗陷此治療之要首向勢已為他所敗若後医幸得一人能知木香異功之力量救之如脫勢已甚則急用參附大劑挽回必不至殺人之酷也嗚吁韋瞑之輩殺吾兒無容議矣天地鬼神何其究哉可嘆者余斗命多屯得此麟兒眉清目秀凡事遊戲惟以書籍硯筆自娛寫字成行諸諺歌野語章句之多一聞而記每談笑得姜理多文情且暗有詩韻對聯之様里閈奇之辰余肝腸斷裂行立坐卧忘其所尚如醉如痴將半年間稍知人事雖初年因病已有去業就醫之志而未果至此遭無辜之大禍嘆曰古人云人不知醫特遊愧耳君父危困赤子塗地雖有慈孝之心終莫能救自是余始誓志習医乃遍遊京師旁求林野有微長寸善於痘科者不吝跋涉從遊者不下數十餘家然卒皆得於私受故圈之見即旋香山奉母讀書閉門絶客磬心於軒岐黃素之學十五載于茲而痘疹一門尤加玩索而是書之作於是脫胎矣

第以痘科各有專門煩演多端徒增其惑偏於補則平寔難施過於攻則虛脫何濟或以閱形經穴分順險逆多教人束手是何活人心之不廣哉其能視疾病以轉

務虛寔自我政補適宜經權兼備最爲難矣且自後余每臨如此痘症幸能轉危爲安觸類而發益增重想舊寺情不覺潸然淚下念余之痛心如此只恐人有如此痛心於後來棋可知也乃奮然撰集先賢遺旨逾老百家諸書立論治法别症處方盡探精髓條分門目又附己意補辦闕疑識痘科至博至約精粗全備無以加矣先賢仲景以族人傷寒誤藥致死痛心而有七書余雖不敢比倫前輩其痛心而有是書則一矣乃顏之曰㤔

中覺痘其參寐中醒覺也夫◇黎氏別號海上懶翁引

凡例

一是集以錦囊一部爲提綱景岳全書爲顯定蓋錦囊至博而未約景岳最約而欠博更參補諸家以竇太師救偏瑣言保赤全書保赤第一書萬氏家藏痘疹心法痘疹金鏡錄痘疹玉髓壽世保元醫學入門但等家書雖重重可觀然其辟旨不出此二部範圍故贅說去之稍異者畧存之以爲痘門廣覧焉

一有疑似者與欠備者增以己意作一欵愚按於本條

又作心得活法一條通計自發熱至痂落有詩多言語
附在丁集尾擬作痘家之總要云
一是集分爲十卷例以十干次位布列門目以便查考
○一甲卷首書著總論諸條以作痘家冠冕繼列看驗諸
條以爲印定
○一乙卷先脉法以確虛寔次治法以備應酬又分表氣
裏血與諸症治諸禁條以爲痘科大規模
○一丙卷自發熱至見點丁卷自起脹至痂落每期各分

順險逆與總論治法用方用藥井井有條毫無雜亂

○一戊卷十九條已卷二十二條庚卷三十條該七十

一條附條不在並條痘家之雜症論治方法無不備具

視百家諸書敬忽懸矣

○一辛卷二十七條附條不在皆痘後氣血虛與餘毒變

爲諸症比之愈嚴愈備以收全功不似諸書之謹始怠終也

○一壬卷治症諸方會爲一套上寫誌號以便檢閱與景

岳諸要方以廣兼用

一癸卷先著錦囊各方以資外用中列瘡家藥品以曉採擇後述錦囊治案以作後學傳心之秘旨

一余遊學私藏秘受多有所得凡有稍近理上與氣血無礙者並著在百家珍藏集中宜參看之如有以毒治瘡雖見功於頃刻與重瘡之法禁瘡避瘡之方甚與氣血無情悉是無稽之言徒增後惑一切去之蓋瘡之順者氣血充也瘡之危者氣血虛也瘡之毒者氣血不和也能送毒者必仗氣血之力得收成者當藉氣血之功故

治痘惟以氣血為始終其他異術何暇用焉

甲卷目次　總論八條　看痘十二條　面部圖

看面部見點吉凶　看面部與咽喉項胸總論

看經穴部位出痘吉凶　看性痘形症六十六條皆不治

看吉痘形症十三條皆凶中藏吉　看痘形名　看痘形色

看痘氣色附性情預兆　看疎密　看榮枯

看老嫩　驗痘二十條　驗頭目　驗口唇　驗牙齒

驗舌　驗鼻　驗耳　驗結吉凶圖

目次終

夓中覺痘甲卷

海上懶翁纂輯
後學唐鄗武春軒奉較

總論八條　論痘由五味太過。痘瘡一症，俗曰天瘡，曰百歲瘡，曰天花，由於胎毒因寺氣外觸而發，故傳染相似。考之内經，則只言瘍疹，卽令痲疹之屬也。故自越人、仲景、元化、叔和諸賢，皆無一言及痘，可見上古本無是症，而今何以有之？愚謂近代之毒，必以醇酒五味造作太過

較古人恬淡相去遠矣第觀藜藿膏粱之家卽有不同
今之北國亦不出痘原其所由在是耳豈果彼無胎毒耶
論痘本淫火。夫男女交媾必二五妙合而生人之本係
爲痘源亦一根於此人知爲淫火之毒而不知由乎交
媾之微膠稠如脂者眞元之精也稀清如水者淫火之
液也故人禀清明之氣則眞元精厚淫火之液自少痘
必稀疎而順奚人禀淆濁之氣則眞元精涸淫火之液
自倍痘必比蜜而逆惡豈俟孕於母腹因五味釀成胎

毒哉李還丹曰慾無火不動太過則是淫液也至於母
胎之毒不過發爲瘡疹痈瘤而已豈若痘之陽毒惡烈
莫禦耶更有謂兒含胎血致毒者尤爲不經之論耳
論痘貴健運。一萬物輕清則髙健運則圓天之象也氣
之功也雖然如以水凡法者非健運不停不能以圓其
形非温潤歛束不能以遂其圓故氣虚者果難髙聳而
致圓稟血虚者亦多燥澁而難流通
論庸醫之失。凡痘瘡變幻百出虚中有寔寔中有虚要

非曲學偏見者可窺其堂室若目力心思一有不到則害不小矣設或知症而不知形則無以洞其外知形而不知脉則無以測其内知脉而不知本則無以探其源知本而不知因則無以窮其變知因而不知藥則無以神其治只此數者令醫果全之否設有不能而強以爲能則致害於人獲罪於天能無畏乎

論出痘吉凶不拘形質。一有孩童生得體質恢肥似氣血有餘也而痘甚枯澁難長一有孩童生得形體瘦黑似元氣薄弱也而痘自起灌成功故治痘者惟以元氣爲主不可擬人形體況蒼黑者骨堅肉硬且氣固於中骨勝肉也出痘多吉肥白者骨脆肉鬆且氣屬於表肉勝骨也出痘多凶蓋腎主骨痘爲腎毒也

論痘輕變重重變輕。一輕變重者非痘之輕重也如痘毒初發梟炎薰爍毛孔俱開表裏俱虛外感內傷易襲痘雖順美倘輕視不守禁忌則輕變重也重变輕者非痘輕重也如痘勢稠密謹於調理節嗜慾守禁忌調脾

胃陰陽得適氣血相和則重变輕也

論痘蘊畜。夫痘象與鋭藥相似火未至則寂然無聲火既至則振動宇宙故痘疹亦由於寺氣感召而發盖疫癘自內而外痘疹自表達裏故三五年火一旺而有也然有全家患痘獨有一二不出者何也此必獨能調養或元氣厚不能感觸也故曰兒稟氣虛則出早氣寔則出晚者此故也凡冬温之候春必發痘須預防之氣稟不足與素有疾病者並宜預治論無出痘之理。一有人年躋耆耋而不出痘者豈有是理哉獨不觀諸物鶴不發頂不能以宏其聲蠶不三眠不能以成其緒蟹不脫殼不能以大其腔虎不轉爪不能以奮其威人之出痘亦猶是也第以氣稟稀鮮或偶患瘡疥有痘數窠雜在其中不曉其爲痘耳若據無痘之說是不求夫人生之原也

看痘 十二條

看面部見點吉凶

一發熱三日之後其痘先出於面之下部在兩頤者爲

上在兩頰者爲中若額際先發者係毒參陽位爲下凡曉星報點稠密者雖各部稀疎難治如曉星報點稀疎光潤者雖各部稠密必有可治之機大抵五臟之精𦒿皆上注於頭面精花充足者痘點雖多必能窠粒分明高聳潤澤雖多無害精花不足則毒邪用事奔潰成片如瘡如麩而爲不救之症矣

面部圖

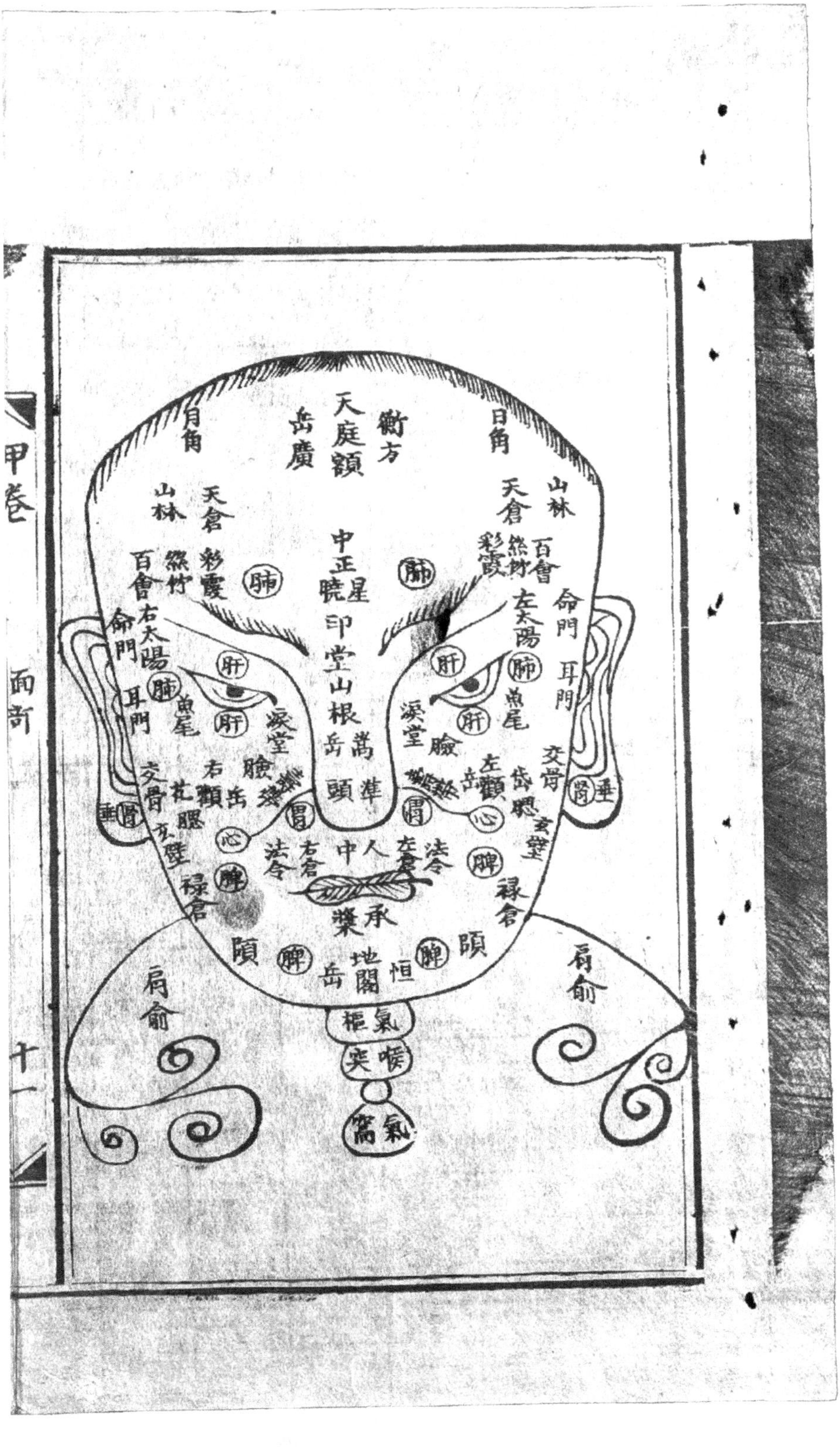

日角
月角
天庭
天倉
山林
百會
彩霞
中正
印堂
山根
命門
耳門
魚尾
淚堂
臉
交骨
準頭
人中
法令
祿倉
承漿
地閣
頤
肩俞
氣
喉
氣窩

看面部與咽喉項胸總論

一治瘡宜察初出部位則可預知輕重吉凶左頬屬肝木右頬屬肺金兩頬不論先後但宜紅活疎朗堅厚者吉若模糊成塊浮嫩易破肉腫者凶黑暗乾冷硬如木塊者不治此塊硯皆凶之故正額屬心火性急不可犯若出現泡漿乾收從額上起者凶此君主危則十二官皆危之義下頦屬腎水先壯先靨者吉鼻屬脾土正額者太陽脉之所會唇頰者陽明脉之所居兩耳前後兩傍少陽脉之所過瘡爲陽毒故隨陽而現於面也然陽明胃與大腸積壓受朽氣血俱多故先於口鼻兩傍人中上下兩腮年壽之間先出先漿

先醫者吉又口為水星頦頤為腎水火為水制不能肆虐故為吉若太陽則水火交制之鄉少陽則木火相併之冲如先出先斃先醫者凶（目睛神光口舌尖唇紅活如常無燥白之色乃為吉兆自可無虞）更如頭者諸陽聚會之處（準頭先出先醫者凶蓋準應脾壽發於脾脾病則四臟皆病也）兩頤兩頰五臟精華之府咽者水穀出入之道路喉者肺脘呼吸之關門胸者諸陽受氣之地為心肺之所居背脊乃諸陽之統會為十二經臟氣之所係五處俱要稀少若頭額多者謂之蒙頭則視聽廢上之化絕頸項多者謂之瓆

項則內不出外不入胸前多者謂之瞞胸則陽不清神不守凡心窩手足心謂之五心痘多者必重若頭面胸項手足細碎稠密一樣者氣血衰微脾胃虛弱不能周流無不危矣唇軒先見者則脾土受傷兩頰兩頤稠密成片或如塗朱則肝盛克脾八九日當作活泄青瀉不食乃成險症故皆不宜多也惟於四肢如卒伍卑賤不足輕重雖多亦無傷以上諸症俱宜解毒清熱血活氣匀庶無乾枯黑陷之変若先起先膿先收者此阳太旺宜用解毒若迟起遅收此應候也若過遅此係脾胃虛氣血不運急宜大補脾元以防水泡痒塌之症矣然觀上可以知下如印堂之下應心胸鼻下應背部兩顴應兩腰兩頤應兩脚顴上之稠密可以知其下矣

看經穴部位出痘吉凶　共七十五穴

天庭　肺之部位先見而多是毒參阳位凶

方廣　肺之部痘少則吉

顱會　在頂上土星督脈所發毒生於此大凶

神庭　肺部入髮門五分不宜多出

風府　在腦後不宜生疔

穹窿　五岳高顴是也先見多而細者凶

印堂　肺之部一片如雲遮者大凶

總竹　肝樞太阳脈所發与両丘相應切忌密多

天倉　肺之部豊溢則五经乍变症

彩霞　在兩眉上肺之部也明暢則美

繁霞　肺之部也明暢則美

玄武　上耳有延腎之部也

玄壁　耳下有延即名瑞璧腎部不宜結毒

山林　不宜結毒

百會　在此痘毒不宜生

髮際　結毒則睛突舌嘆口枯而凶

睛明　在目內眥淚孔手太陽阳明之會所之部

左太陽　肝之敍門切忌稠密

右太陽　肺之敍門先見稠密者凶

淚堂　肝之敍門痘如椒實大凶

陽池　兩陽之地切忌先見稠密細小

魚尾 肺部在眼角之上稠密大凶

交骨 腎部在耳边前一寸如连雲蚕重大凶

聽會 腎部在耳珠前陷中不宜生疽

耳孔 腎樞生疔此名痰虎宜速挑治

井谷 七竅之处先見主凶

五岳 两顴鼻頦地閣是也珠朗者吉

顴准 心部如絲細者吉如紫痒迮蚕者凶

顴石 心部上灌下罯見此乃保可治

鼻準 胃部不宜生毒

嵩岳 胃部疽如石榴則四肢如桃大吉兆也

年壽 胃部七朝疽起紫泡如木硬或如錫片凶

地閣 腎部不宜先見

鼻柱 胃部如桃花吉如灰煤凶

迎香 在鼻孔旁五分不宜生毒

食倉 脾部在两鼻孔旁如蟫巢主嘔吐凶

人中 脾部乃司命之堂不宜有疽形如車輪凶

腮井 脾部不宜生疽

腮田 胆部不宜稠密

頭池 脾部疽如梅花則脾傷而瀉逆凶

承漿 在頤前唇下五分宛中生此則凶

氣樞 肺之樞在頦下近喉疽多則凶

喉突 肺部在結喉一寸宛中主生敌戝密多凶

氣窩 肺之敌門生此大凶若三星一班照必死

背座 下灌上罯見此乃係难治

項瓆　肺之部如盘蛇則毒盛而难追
乳盘　心之樞如交疊則煩燥捲床
膻中　在两乳中间心之樞有痘主煩燥而凶

中腕　脾開胃腕在臍上四寸如蜂螫凶
臍封　脾開多則瀉逆主凶
臍麓　脾開如旋珠必瀉逆而凶

肺俞　在背三椎骨下两傍一寸半出此名懸鏡凶
心俞　在背五椎骨下两傍一寸半或結毒亦可治
肝俞　在背九椎骨下两傍一寸半

胃俞　在背十二椎骨下两傍一寸半
脾俞　在背十一椎骨下两旁一寸半
腎俞　在背十四椎骨下两旁一寸半

膏俞　以上癰毒結於此皆可治
傷門　五開是也多則煩燥
丹田　在臍下畜毒則腸結便难

玄門　男之邑女之肥屬水而疔火不生生此凶
豐丘　五經高處痘少則凶
曲池　在手肘曲處膻中不宜生此有宜速治

三里　在膝旁生此者防潰筋
髎阜　肝之軸疔生此可治
陽毬　肾诵有毒則凶

商丘　在足踝前缺陷中以下生疔决不可治
公孫　在足係肝經
湧泉　在足心腕中

太冲在足大指本節後二寸陥中　太谿在足内踝動脉陥中　太白
陰陵並在足　委中在足膝曲處　陋谷在足底以上疔毒生此並不可治
肴帷瘟形症凡六十六條　凡帷瘟乃逆瘟中之尤甚者也形症
不一一不可不辨也

内陥　一瘟初出寺如面胸手足已見紅點却不起發不成
膿　漿隨即收斂着加氣促聲啞悶乱者即死此名内陥症也
試症　一或有此症而無煩喘悶乱者各曰試瘟過五日後
必復發熱而瘟出者必重

返關疔　一疔初出如蚊蠶所咬三日後返不見者名返關疔必五日死

疔母　一疔子出現三兩成叢根脚堅硬成塊此名疔母六七日死

一疔子將出身上有紅腫結硬處似瘤非瘤似癰非癰亦名疔母三五日死

爛疔　一疔初出便成血泡或水泡隨即破壞者此名爛疔二三日死

空疔　一疔出後遍身都是空殼不作膿水者此名空疔八九日死

鬼疔　一疔當出現起發之時中有乾黑者此名鬼疔宜用

胭脂水塗之勿使蔓延若不急治乍起乍塌當醫不醫

或灸作瘡次而出帝延日久而死

疔痘

一痘出起發之時中有痛甚如刀剜叫哭不休者此

名痘疔五六日死

乾痘

一痘當起發之時枯燥不潤塌伏不起皮膚皺揭者

此名乾痘五六日加煩滿喘急而死

溫痘

一痘於起發之時皮嫩易破摸之溫手者此名溫痘六七日瘙塌而死

嫩痘

一痘於起發之時瘡色嬌嫩皮薄光潤鮮紅可愛者

此名嫩痘八九不成痂必癢塌而死

漏痘 一痘於起發養漿之寺瘡頭有孔漿水漏者此名漏瘡五六日後必癢塌而死如膿出堆聚成痂亦爲美痘

賊痘 一賊痘者是諸痘未漿而此痘先熟也又名假雲泛多在太陽喉口心胸等處三日見者六日死四日見者七日死五六日見者十一二日死

賊痘 一痘出雖希根窠全白無色三四日後雖亦發脹然按之虛突此亦名賊痘氣血大虛至灌漿寺必变成水

泡大如葡萄皮薄如紙搌破即死

倒陷 一瘡膿水將成之時其瘡自破有孔而深者此名倒陷不治

倒陷 一瘡將靨之時不能成痂皮脫骨黑此亦名倒陷俱不治

癩瘡 一瘡將靨時不能成痂皮肉潰爛膿水淋漓者此名瘡癩食則生不能食則死 以上出景岳

天空 一諸瘡起壯而天庭曉星不壯者是血不貫頂也名天空瘡十無一生

水蝕 一諸瘡起壯而太陰太陽不起者名水蝕瘡如日月被蝕而為凶

海枯　一諸痘俱起而耳後方圓一寸獨不起者（名曰海枯痘是腎敗也不治）

無根　一諸痘俱好而地閣高圓伏陷乾枯或灰白不起者名無根痘此腎水絶也不治

單瑣口　一面部俱希嘴角有一粒黑豆獨大者此名單瑣口若唇上下一圈成串者名騰蛇瑣口皆惡候不治

雙瑣口　一兩嘴角俱有一粒者名雙瑣口又名（白虎髭鬚瘡尤爲惡候不治）

肫痘　一痘中間多而兩頭少者甚至絶無者乃係大凶之症名肫痘其毒内攻心肺而死

逆痘 一痘上身少而下身多者亦無大害若下先見而后上見者為逆痘不治

鬼捏 一痘遍身全無點粒其痂成片却如被傷之痕此名鬼捏痘決為不治

蛇皮 一痘頭面遍身並無空地平塌而色白此名蛇皮必乾枯不能作漿至十一二日死

九焦 一痘於正額地閣顴骨胸背耳後手足皆有一二个黑陷者名九焦痘亦不治

手邊 一痘或出於左或出於右歪斜頭偏盤彙散漫者名半邊痘雖飲食聲音二便如故亦不過七日死

石臼 一痘中間有凹四圍突起光亮好看內㝎漿板不化以手摸之其硬如石形如石臼必死之症

葡萄 一痘鬙疕間紅紫一片如葡萄者不治

血痘 一痘初紅紫樣平如珠筆點於遍身者名血痘此內根已朽外苗必萎六日死

懸磬 一痘玉枕之間團聚成塊若紫赤灰陷者名懸磬痘最為極危此係腦户穴而宗脉所聚故不治

鵞口 一鵞口者痘正起發寺唇口痘先黃熟而帶漿是也

此毒發於脾必至嘔吐不治

【白漿】一瘖初起發其瘡頭便帶白漿者此瘦癘也主七日死

【獨大】一瘖於人中見一粒比衆瘖獨大瘖錐希朗至六七日或十二日傳經發瀉不治

【日圍】一瘖初起而根莖起發之寺四畔定出小瘖攢簇本瘡或發似粟米者名四圍瘖必不待養漿即發癢而死

【霞錦穿胸】一瘖如霞錦穿胸者此火毒熾盛不治

【峯肩】一瘖肩頂之上稠密色又不佳者必死

隱癍　一痘形如豆殼而色灰白全無血色及至擦破而後血出亦無漿膿名隱癍不治

肉敗　一痘近看如水蓼之花遠看如胭脂之色必不成膿此氣血兩敗不治

紫萍白萍　一痘出齊紫色不起兼不灌膿如紫浮萍貼肉上者名紫萍不治色白不起兼不灌膿如白浮萍貼肉上者名白萍瘡不治

燕窩　一痘在於後頸之間風門大椎兩穴之處攢粒稠密名燕窩痘若色又焦紫必危

串珠　一兩耳屬腎不宜受痘若出耳輪上連綿如串珠此毒傷腎萬不一生

木痘

一痘中心微散凹陷硬如乾朽無膿無血此名木痘由小兒𦟛膺多痰結聚成毒九日必死

紫雲貫頂

一痘遍身俱好但頭項紫乾陷伏不起者名紫雲貫頂不治

烏紗覆頂

一痘見咽喉啞塞喘促氣粗此氣血衰敗元陽離脱名曰烏紗覆頂不治

烏紗落額

一痘額上一片黑氣罩定是元陽氣並絶名曰烏紗落額不治

烏飯粘唇

一痘如烏飯粘唇此症必聾啞神昏目睛不轉四肢厥冷名烏飯粘唇三七日死

紫雲布胸　一痘如紫雲布胸乃血凝氣滯毒來攻胸必咬牙戰掉口唇焦裂不治

黑棋排胸　一痘如黑棋排胸此乃心火元極真臟色見三朝必死此火性迅速也

漫胸　一痘胸前成片此五臟膜係爲氣會聚爲心胞絡注焉一名漫胸火無生理

梟炎敲聡　一痘耳獨多耳爲腎竅忌先見先靨如耳熱黑色須防變黑歸腎必㓙

三陽湊毒　一足大拇是太冲穴屬厥陰足心是湧泉穴屬少陰足股旁是商丘穴屬太陰毒湊者㓙

【白梨】一痘如白梨隆腹此氣血皆敗半月[內]必發驚而死

【荷ノ透水】一痘獨於兩腮稠密若[至]焦紫神黯者 各荷ノ透水大凶

【胃禁】一痘毒火炙胃不能發達於外是以脾胃潰爛其外出之痘在唇口間四五點相連諸痘未漿此痘已先黃爇是熱毒內攻[胃]已腐爛諸痘不能成漿也凡唇口一見此痘而繁紅氣粗熱甚口臭異常者此其候也不治

【懸鏡】一痘背馳三陰毒透五俞形似背疽是也其候必煩燥譫語惡[過]嘔吐不治

攢手　一痘經於肝道毒聚左脇其大如豆四治小者如珠是也其喉必乾渴煩燥嘔逆不寧不治

覆釜　一痘總會諸陽定繞連絡而下部俱無者其候必嘔吐頭疼形似禿瘡不治

瑣井　一痘毒透脾羣聚口治定繞無數者其候必典舌雖咽睡卧不寧了不治

盘蛇　一痘毒鬱肺絡頸項圍繞形如瘰癧是也其候必痰涎緊併眼赤惡渴不治

蔡亮　一痘毒透脾胃臍左右氣滏盘結是也其候必肚

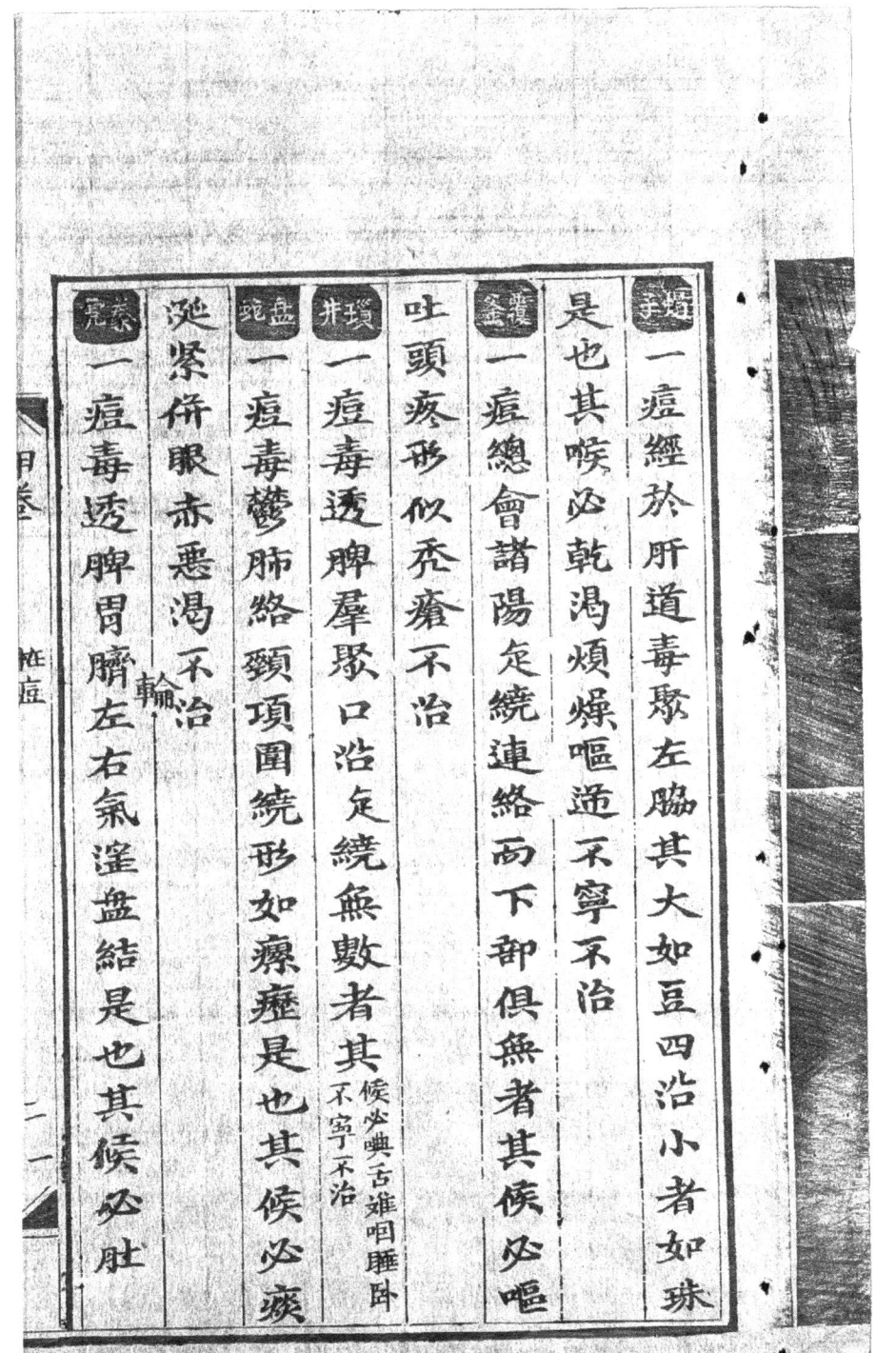

腹如絞泄瀉吐逆肢冷惡寒不治

【玄近】一瘖經心達腎毒透陽物狀似梅瘡是也其候必小腹脹悶便澁面赤口渴身熱不治

【撓月】一瘖經陽明聚於兩腋中窩圈鎖十五六粒手臂垂痛是也其候必口吐涎沫惡熱臉赤不治

【卷門】一瘖經於脾毒透陽明而掌心四五藂連聚是也其候必吐瀉煩燥不治

看吉瘖形症共十三條皆胸中藏吉

【天根】一諸瘖不起壯而天庭或曉星起灌者乃精氣外生故曰天根十有九生

明朗

一諸痘不起太陰太陽獨起者是如日月之明屬吉兆也、

海溢

一諸痘不起而耳後方圓一寸獨起者名曰星宿海溢是腎經旺也吉、

有根

一痘頭面遍身稠密十分危險若得地閣方圓數粒如珠者十有九生蓋腎爲人之根本此痘腎旺故曰有根或曰足下有痘爲有根、

鶴翎

一痘見天元足而壬癸充腎經獨發之痘名爲鯨罩雲衢從見標起脹俱黑圓錠光潤圈圓頂峻行漿漸黄

有神此主後天富貴之痘壯元圖中載之

[illegible] 一痘自見點以至結痂發熱不退而起脹灌膿如期應候及至痂落則身涼故吉

血靨 一痘出希少而四五日胖若碗豆六七日血靨痂乾色如硃砂九日而痂落者是也此毒少而氣血充足隨出隨痂不及𥧌膿也是爲最佳

佛頂 一痘見天庭之間希少而形色潤美乃係吉兆

報痘 一名報痘每見熱微氣爽精旺神強忽起點子自一

點以至十餘點外其盘與頂甚佳濯膿亦足世皆稱上乘者矣或有結痂之後一發熱周身密布者亦有將結痂而復潰爛深潭方可周身饞起毒伏于內人不先察幸其自起得以全生故遇此痘必須詳省耳後紅紋再閱周身紋路及面部氣色如非報痘則數點可云全吉若猶未也必須銀針挑破初點胭脂封貼則毒不內攻後痘起發亦得鮮少

九焦

一名九焦其痘起勢尖圓易長易貫根脚赤甚似乎血熱然先後不齊三朝紫至隨至隨回以其九日之內

必焦故名九焦是係膈症亦爲吉候

水痘 一發熱起膿貫膿形色狀貌皆同所以異者惟出寺頂色白亮根脚散大漿色淺白頂無痘眼亦是膈症必無他虞但不可升表太過更耗元氣

石痘 一痘按之如石易起易灌易靨嘻笑飲食如常三朝漿至七朝漿回十日成功此痘中之第一儔也

木痘 一發熱見紋俱似痘狀但出之寺忽然見點不一而足至一二朝漸覺粗肥至二三朝反細而隱有形無漿

者是也此亦腑症必無他虞矣
看痘形名（該十五條）凡痘瘡緊小充實者名珍珠痘則易長
易靨痘形高大飽滿者名大痘則早壯而遲收痘形四
圍起而中心陷者名茱萸痘平扁不突者名蒸餅痘則
有凶有吉希者輕密者重玉髓書云上等者有疊珠形
爲得化機之正榮衛交養有盘珠形爲体色潤澤有震
起昂峻之勢有流珠形爲形雖細小而氣血歸附真元
培聚此三形者痘中之翹楚也其次有遊蠶形者有覆

釜形者有蟢窠形者有爪子形者有箭頭形者有疊錢
形者下此而更有蛇皮斷者痘之最凶死在旦夕有蚕
重布者此名棄痘十死一生然包血成形者氣也故形
失尖圓飽滿者當責之氣附氣成彙者血也故色不光
彩潤澤者當責之血

疊珠形  訣曰天元不散陰陽無聚不偏不離出類拔萃

盘珠形 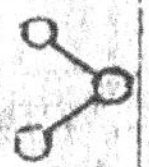 訣曰氣衛血榮象合乾元正大光潤造化路全

流珠形 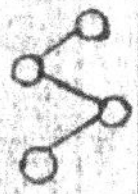 訣曰渾然中處如星綴麗通經合絡先巨先細

遊蠶形 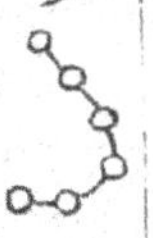 訣曰元氣既離梟毒橫暴見隙 成群不由原道

覆釜形 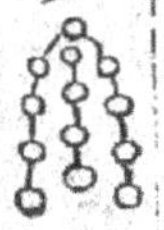 訣曰邪炎冲逆安居高位聯絡 鈎環形多瑣碎

蠵窠形 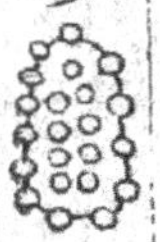 訣曰真元已戕梟毒盘結根窠 暴脹灰煤蚘蝎

瓜子形  訣曰氣不能充血不能融體失 真正囊房串空

箭頭形 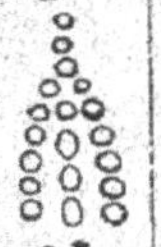 訣曰化機拂逆孔高泛溢鈎連 泡起灰燥慘慼

疊錢形 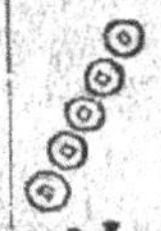 訣曰三四疊錢六七連蚕若不 椒皮犍可保安

蛇皮斷形  訣曰蛇皮斷狀如疹無尖真 元已散九日歸泉

蠶重布形 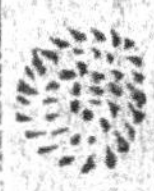 訣曰如蚕布重隐隐皮間臨 期六七命赴黄泉

蛇皮蚕重本無治法惟在見點有攅簇不成窠粒之象速用清觧攻托令欝遏之氣得伸此分消之法庶畧者可踈細者可大宜早治若遲則毒有定候難治

看痘形色 該三條

夫形乃氣之充色乃血之華故治痘之法要在看痘之形色爲調之形者始出尖圓堅厚起壯發榮滋長成漿飽滿充足收靨斂束完固如水珠光潤者皆正形也或平或陷形之变也是以初出之時隱如蚊咬之迹空如蚕重之脫薄如麩片密似針頭如熱之

沸寒之栗也必不能起發而死若粘聚模糊皺肉虛浮
溶軟嫩薄皮膚潰爛者必不能收靨而死此形之变也
謂之色者喜鮮明而惡昏暗喜潤澤而惡乾枯喜堅硬
而惡嬌嫩紅不欲艷艷則易破白不欲灰灰則難靨由
紅而白白而黄黄而黑者此始終次第漸变之正色也
若出形而帶紫起發而灰白色之變也更有根窠脚地
四者雖各位各殊總不離乎形色二字誠為不易之要
法何謂窠中透而起頂是也何謂根外圈而紅者是也

然圈之紅否則中之虛寔與痘之淺深可見矣窠之起否則根之淺深與氣血之盈虧可定所謂脚地者亦本乎根窠之圓混痘粒之希密也夫紅暈之處謂之脚凡彼此窠粒界限分明不散不雜者此痘脚明淨也若空隙之處便謂之地凡彼此窠粒不相聯綴者此地面明淨也總之根欲其活窠欲其起脚欲其固地欲其寬四者俱順痘雖重無慮也然圓者氣之形氣盛則痘窠圓滿周淨暈者血之形血盛則痘窠光明紅活故氣虛則

頂陷氣散則窠塌然有氣虛極而不塌陷者乃火載之是以雖見圓滿寔空殼如泡然矣抑血虛則暈淡血憊則暈枯然有血虛極而外面猶紅者乃火上浮是以雖見圓暈寔枯槁而不潤澤也故形色者乃氣血之標氣血者乃形色之本也訣曰有盘有頂終須貴有頂無盘却不宜觀此二語則盘頂固俱屬痘家之緊要而盘寔更重於頂也盘者即根脚之義也頂者即克足之象也總而言之痘之始終咸賴乎氣血即根脚亦必藉氣血以

乘載充足亦必資氣血以運行以形色較之寧可形平
塌而色紅活勿可尖圓而色晦暗此謂寧教有色無形
休教有形無色也蓋充足由乎氣氣可旺於斯須也根
脚者既華於血又賴氣以拘之氣血合德而成且補血
雖圖捷效故更重之也形有起發而或有致變者由色
不明潤根不紅活故耳若痘色光澤根窠紅活雖平塌
亦為可治然色已紅活為貴而猶有圈紅暈紅鋪紅之
別圈紅者一線淡紅緊附于根下而無散走之勢吉之

兆也嗅紅者血雖已附而根脚血色隱然不聚險之兆也痘色與肉不分平鋪散漫此鋪紅者凶之兆也以此察之則生死可預知也蓋根窠者血之基膿漿者血之成故六日以前專看根窠若無根窠必不灌膿六日以後專看膿色若無膿色必不結痂此必然之勢也

一凡痘色光潤紅活氣血和而旺也慘暗者氣血衰也氣旺而血得其合氣衰而血被其因血非氣則毒不敢氣非血則毒不化信乎痘毒必賴氣血而後可始終其

功然色之紅者毒始出也白者毒未解也黃者毒將解也黃藏者毒盡解也灰白者血衰而氣滯也焦褐者氣血枯也焦紫者梟淫邪毒熾結也黑者毒滯而血乾也紅變白白變黃者生紅変紫紫変黑者死又有血與毒相搏撐成虛殼雖見圓滿寔則空泡虛殼而色枯白者又有氣血皆離而邪火浮迸是以雖見紅暈猶存然氣虛不能續血虛不能化是以漸見乾枯而瘦者並宜詳別無輕視也

一凡痘之形屬氣痘之色屬血也如初出點若蚊咬滯而不起雖起塌涸皮薄而軟斜視若無面唇先腫小者稠密大者平陷此皆氣虛形重也如小而高聳根頂圓淨先出先長日見活動先潤不燥堅實硬指頭面稀疎飲食不減此皆氣旺形輕也如初見頂若火刺紅而乾枯紫而昏暗夾癍夾疹白而枯澁黑若壓鋪此皆毒滯色重也如初出淡紅漸覺明亮四五日間頂若水白根巢紅潤此皆血活色輕也亦有痘色紅紫近黑黑如烏

羽而有沙眼摸過轉而白者猶有血活之勢如無雜症

㾖或可救若黑如炭者是血死不治

看氣色 附性情預兆該四條 一紅黃見於面部者爲吉蓋紅者心

之有本黄者脾之有根此則氣血必盛而痘出自美若

見青白色相兼且有黑色凝滯不散者乃肺肝腎三經

反勝而心脾已失主矣再兼壞症死無疑矣倘得唇齒

光潤眼不血紅則但是氣血不足之故大加補劑善於

調攝亦有成功之效也

一發熱之時面色明瑩者吉赤若塗朱者重此邪氣拂鬱於陽明宜以清涼解熱之藥少通利之若面垢黑暗者凶少陽候見也治宜表裏雙解

一天行痘疹之時有於未出之先察其氣色性情可以預知其吉凶矣如面顏紅白明潤與平日同而無變者吉如忽見紅赤而太嬌或晄白而無彩頓然變改異於平日者凶如額有紅紋目有赤脉口有黑氣耳有塵痕者皆有凶之兆次有精神清爽動止便利言語暢喨無

病而吉也若精神微弱動止遲留言語無力異於平日者凶又原具壽相者吉如有夭相則凡頭破顱解項小脚細聲微目無精彩或睛光露神啼聲斷續無喜無情而自語自笑聰慧太早肉浮骨嫩者皆不吉之兆

一未熟時忽生喜心若與父母愛戀不忍捨者及聞見恠異言語妄誕者皆凶兆也一妖孽者禍之萌凡出痘之家最宜内外肅靜吉之兆也若有鴉鼠喧鬧屋響火光犬吠無時蛇呈狐候夜生恠變病見死人者皆不祥

之兆若內修克謹亦可轉禍爲福

看疎密　一痘疎則毒輕密則毒盛如頭面頸項胸堂腹背此處並欲其疎惟手足不忌於密然謂之疎者非但希少也卽鋪排磊落大小勻淨窠粒分明尖圓緊實亦可以言疎雖密無妨謂之密者非必盛多也卽攢聚粘連片復一片糢糊作塊不分珠顆雖只數處亦可以言密兼初出寺紅點纔見數處其表裏熱候便退者此卽可語其疎也苟見點雖少而大熱不解唇口燥裂大小

便秘煩燥不寧諸候未减此由毒盛欝遏於中未能遷出故必日復更密是卽初出雖少未可言其踈也

看榮枯　一夫痘之榮枯血實主之血者所以營陰陽濡皮毛流開節也若痘本踈者則易充足惟本稠密者則貴乎血之有餘方能灌溉滋潤形色分明根窠紅活者如血不足則經脉壅遏窠囊空虛乃黑燥而不鮮明枯萎而不潤澤盖由其人血常不足加以毒火薰爍是以精血更竭也治宜活血凉榮散熱觧毒滋金潤燥則乾涸可挽回矣

看老嫩 朝菌之草久而零落松栢之茂陵冬不凋故瘡毒喜老而惡嫩如蒼蠅嬌紅色之老嫩也隊實虛浮形之老嫩也濃濁清淡漿之老嫩也坚厚軟薄痂之老嫩也然老嫩之故衛氣主之故衛氣強則肉分坚皮膚厚腠理密而開闔得矣所以禁制其毒而得色蒼形紫漿膿痂厚自然易壯易靨如衛氣弱則肉分脆皮膚薄腠理疎而開闔失矣所以不勝其毒而乃色嫩形虛漿清痂薄易破易靨故蒼之老嫩氣所致也至於紅者雖血

之體然血因火動而呈其色無火雖紅必淡矣其以紅爲血熱者指深紅而言若夫嫩者氣固不足連血亦虚無幾之血乘以無根之火迸行於皮膚因囊亦不厚故雖紅而嫩不若白而老也

驗痘 二十條

驗頭面

一諸陽之會在於頭心之苗在於面痘爲陽毒而心主之是以頭面希少者輕稠密者重預腫者危破爛者凶凡驗痘之輕重莫如頭面蓋人之一身内則心爲君主外則頭爲元首不可犯也故痘初出

先以他處見標漸發於頭其起發灌膿收靨皆然此佳兆也若頭額之間先出現先載漿先乾收先破損謂之毒參陽位若瘡遍身先收而頭足兩處遲收或漿熹自破堆積結聚者不須怪之蓋天地之化孤陽不生孤陰不長陽變陰合彼此相成頭者諸陽所會無陰相濟所以難成治宜養陰濟陽則自收矣若目閉搖頭痂落氣纖者是心脉已絶及頭腫痘不腫者俱為不治

驗唇口

一唇口者職肉之本也與五內相通故觀此可

以預知内症之吉凶凡唇口與舌或紫或黑與舌腫大者是寔熱毒盛之症也若色紅活而不燥裂乾紅者熱輕而毒少也黄白赤紫而不潤澤者凶至如氣粗熱盛舌白唇濕者此必胃爛也又有唇上痘出相連諸痘未漿而此痘先黄熟者則内潰已成外痘亦難成漿矣更有氣血下陷毒攻唇口是以糜爛成瘡口中惡臭牙床潰爛舌上堆聚黄垢一日爛一分二日爛一寸名曰走馬疳並皆不治若痘未謝而唇口乾紅渣滓頻紅唇紫

者此乃欲成肺癰之候治宜解毒清肺若加痰喘作咳則以參蘇飲主之治者若得其工此症猶堪復活也

一夫脾之竅通於口其症在唇若面瘡腫漥而唇上瘡裂成塊乾燥者重如痘出太密口中臭氣此臟腑敗故臭出於口也若瘡欲變壞而唇上縮者脾絶也若唇下自呷者是無口也口中涎如膠粘者脾津竭也並皆不治更有唇口生瘡其聲則啞者此狐惑症也如不急治多致殺人然痘寺何以又忌唇腫者蓋腫極不退須防

唇白而胃爛痓則內潰不出矣何以又怕其口張者蓋張則脾敗須防氣泄而驚厥發矣但因鼻塞息難所以張口而舒氣者不在此例如至十朝以後口張齒枯是爲脾絶腎敗也不治

驗牙齒

一上牙隸於坤土足陽明胃脉之貫絡也下牙隸於乾金手陽明大腸脉之貫絡也凡瘡疹發熱之初口開前板齒燥者裏熱也宜以清凉之劑微解之如發熱咬牙而有欠者則爲肝熱有上竄者則爲心熱此欲

作搐者也然腎主骨牙爲骨餘故寒戰咬牙毒歸於腎皆爲凶候尤宜兼候參詳則吉凶自見至於收靨而牙齦潰爛者此內瘡未得平復也失治則牙根潰爛出血肉黑氣臭是走馬疳矣凡齒乾有黑苔者凶靨後而牙落者腎將絶也不治

驗舌　一舌者心之苗候也脾脉亦絡於舌故延納飲食至持聲音其用亦大矣凡痘發熱其舌紅潤者吉燥如芒刺者內熱也宜急解之若瘡出舌上客如堆粟破如

蜂集者危更加飲水則嗆食物則嗾聲啞并瘡出太甚而弄舌者熱病口乾而舌黑者並皆不治更有舒舌者是脾家津液不足而有微熱故舌絡微緊寺寺舒舌勿服凉藥更傷胃氣縱酷嗜飲水不可誤下愈耗津液矣

驗鼻 經曰肺通竅於鼻故痘初熱噴嚏者是邪火上干於肺外應於鼻火爍之而癢則嚏也鼻乾黑燥者火刑於金金體本燥得火愈甚也鼻衄者陽明熱極血得熱而妄行上溢於腦故衄出於鼻也鼻流清涕者疹也盖

疹發於心心肺相連以火爍金熱極反化爲水也鼻塞
不通者非風寒壅塞卽火蝕清氣而不升也若一出紅
點數粒成塊發於山根之上者爲毒盛氣虛而毒乘虛
犯上內也然脾絡通鼻爲坤土之位故不論先後但忌
糢糊成片而早乾收也若正成漿鼻上先黃者此脾土
將敗真臟色現也并諸瘡未漿而鼻端先乾者內經曰
臟真高於肺以行荣衛陰陽也若邪火刑肺則肺敗不
能輸精於皮毛故皮毛焦枯先見於鼻漸至荣衛不行

陰陽不續遍身乾枯而死矣并瘡變壞症出血涕涕喘息此肺絶不治

聵耳該二條 一腎通竅於耳耳者腎之外候也腎爲水藏天一生之受氣之初先生兩腎而一陽藏焉又有相火存命門之中故發熱而耳獨凉者順蓋痘瘡屬火腎不受邪存水之德以制陽光也如耳反熱者則火炎水涸真陰敗絶水不勝火有歸腎之變然痘出之後必聵耳

後紅縷者蓋手少陽三焦之脉從膻中上出缺盆繫於

耳後直上耳角紅者火色也此痘之火發於少陽而自見於其經也若瘡自耳先出及未成漿而耳輪先靨者則毒萌歸腎之机君相二火用事燔灼之勢難於仆滅必至不可爲矣

一痘起於相火耳爲腎竅故紋兆耳後直而細紅而潤者爲上粗而斜紫而亮者爲中曲而雜紫而暗者爲下若以久近論之則紅紋直上而不明瑩者一歲之徵也紅紋斜掠而隱於重膜之間者八九月之徵也紅紋横

截而𥈅肉分者半載之徵也青紫紋直上有魚刺者兩月之徵也青紫紋斜掠者四旬之徵也青紫紋横截者一月之徵也青紫紋盤結者寺日之徵也然寺日之間更有十驗焉如兩耳垂珠冷一也鼽冷二也手足指尖冷三也眼骨花黑白不分明四也眉皺戚戚不開揚黄亮五也發熱臉赤唇紅六也或身頭痛而乍熱乍凉七也氣呵欠而不通利八也睡中或寺挫聲九也憂寤中或寺悶攝十也十者之中或犯四五症必見也

耳結吉凶圖 十條

枳刺紋  是紋名枳刺大者紫小者赤其候熱蒸一日而出痘于右地角兩耳後必然稠密致变癢塌而死或变黑陷而死

柏葉紋  是紋名柏葉微紅色必輕若紫色必重心症也壯熱四五日而出痘于兩眉上必然希少吉兆也

碎絲紋  是紋名碎絲細而且亂其色赤者心之候也青者肝之候也二者俱吉至于出痘必熱壯四五日方出于兩眉上并印堂準上必希少而無癰泡之患

弓紋是紋名弓紋也色青肝之候其症輕色紅
者甚輕出痘寺必壯熱三日乃出于地閣頭間而希少
批髮紋是紋名批髮其色微紅輕紋細多而難見
必仔細照看顏色與肉一樣無異乃肝候也至出痘寺
必發熱四日而方出于印堂上不上百粒之數也
梅枝紋是紋名梅枝大紋紫小紋紅并有小點亦
紅心腎二經之候至出痘寺隨熱即出于兩耳後痘色
必紫黑陷發疔而死

人字紋  是紋名人字其色紫黑乃腎候也至于出痘必發熱一日而即出于頭間稠密無縫㐫兆也必變生雜病而死

十字紋  是紋名十字其色青黑青為肝候黑屬腎候至于出痘則發熱三日而先出于兩鬢間出雖希少必至發渴飲水而死

鍼八沙紋  是紋名鍼八沙其色紫黑乃為腎候至于出痘必發熱一日即出于腋間稠密而色赤間有白

浥必致發疔而死

凡耳後筋紋似水紅色者爲上杏紅色者次之大紅色者宜退火紫黑青色者皆不治又須條均直上耳尖而無分枝者爲上若分枝纏繞者雖淡紅亦凶其或横過髮際者多不可救

驗眼

一目者心之所使神之所寓焉凡初熱而目倦不開者是將放標也目中汪汪若水者麻疹也赤色者熱甚也連劄者肝風也直視者肝熱也發搐目竄者風火相搏也痘未成膿而腫消目開者毒反内攻收靨已也

後而目閉不開者毒滯心腎也收靨不齊而眼生翳障者毒流於目也靨後而直視不轉者腎絕也上竄者心絕也不泣而淚自出者肝絕也微瞑者氣脫也血貫瞳子者火勝水竭也又諸病閉目搖頭者此心絕並為不治

驗頸項

一頸項生氣之本也經曰天氣通於肺地氣通於嗌喉者氣所由也故喉主天氣咽者味所由也故咽主地氣是以頸項者乃肝之俞又咽喉之管束陰陽之道路三陽之脉自頸而上三陰之脉自頸而還故痘

瘡之候頸項歆疎若纏項稱塞太甚者謂之瑣項則廢其管束阻其道路而上不得降下不得升内者不出外者不入出入閉則神機化滅升降息則氣卽孤危矣否病深而項軟者骨敗也並死不治

診胸腹

經曰刺胸腹者必避五臟胸腹者臟腑之廓也又曰胸鬲肓之上中有父母蓋指心肺也卽俗稱三倉之部位故痘輕者則胸前全無若胸太重者必凶否病深而喘急胸骨動者肺焦脹也其左乳下動脉突出

是宗脉臧並為不治

驗手足　一四肢屬脾為諸陽之本初發熱手燰足涼者此正候也蓋腎主足腎不受邪故足凉脾主手脾旺循經則手燰如初發熱而手尋衣領及乱捻物者肝熱也手捏眉目口鼻者肺熱也手足搐搦者心肝風火相搏也手足冷者脾胃怯也蓋四肢皆禀氣於胃與臟腑道路稍遠若脾怯不能為胃行其津液乃不得至經故冷也如痘已出現而手足多水泡者此肝勝脾衰鬼賊

来克最宜急治瀉肝補脾以防癢塌而死然報點寺須
兩手較諸頸而透出稍遲者吉恐先發鬆則元首透出
益遲矣如應至不至者此脾胃氣虛不能旁達四肢也
并遍身皆發而手足不透者或空殼者是皆脾胃虛弱
津液耗竭榮衛凝澁不得通灌四肢故其毒亦鬱而不
發如不能食者死能食者必發癰疽更有方始行漿而
他處未收惟手足心先靨者其後必生恠疾若痘靨之
後而手足關節腫痛者必毒未發散須防發癰至如痘

未成漿而手足皮脱者死矣并瘡勢太甚而手足冷者不治及瘡癢而手足搔亂者凶矣見而後隱起而復塌其色紫黑者爲腎乘脾也不治

驗寢寤

一衛氣者晝則行陽夜則行陰行陰則寐行陽則寤人之常也凡瘡疹發熱便昏睡者蓋心主熱而脾主困夫心受氣於脾故發熱昏睡此常候也但起卧不寧者内有熱也必多陷伏之變如合面卧者是裏熱也總痘瘡始終安寢者吉蓋氣血彊盛榮衛流行[長牙出]

於表而不在裏故神乃安神安則志靜是以得安寢也若氣血衰弱榮衛滯澁則邪在裏不在表故內乃熱蓋心惡熱熱則神不安神不安則志不寧是以煩燥悶乱譫妄而不得眠也更有瘟疫毒伏于中是以神喪氣脫僵卧如尸呼之不應飲食不知者是爲死症又不可作安寢論也

驗動靜

一物得其平則靜失其平則動經曰陽氣者靜則養神柔則養筋又曰陰氣者靜則神藏燥則消亡故氣息欲其均語欲其少寐欲其定寤欲其寧饑則索食

渴則少飲觸其瘡則吟拂其欲則鳴此則氣足神清而近平人之候謂之靜而吉也如呻者身有苦也自語者神不清也喘粗者内有熱也腸鳴者泄也坐卧不寧者心煩也啼叫不止者痛也頭搖者風也指欲搔者痒也噏物難者咽痛也咬牙心肝熱也甚若悶亂燥擾譫妄昏眩搖頭扭項舞手擲足目睛上翻寒戰咬牙皆死候也然而向静而忽作擾動瘡色倏变又無他候者此必癘氣所觸也至若目瞑息微四肢僵直口噤瘡壞昏睡

不省者此真氣將脱魂魄欲離之兆又不可作静論也

驗四開説

一兩手肘兩足膝是謂四關盖臓腑有十二原出於四關故四開之痘最爲緊要身體之痘雖佳而肘膝處或有變異則周身之痘亦變而不能成漿矣何也盖机開阻塞氣不流行則三百六十五穴皆閉矣故四開或有賊痘或紫陥或疔腫須急桃去吮去悪血以藥封之否則諸痘盡変或以四肢爲卒伍卑賤之屬而忽之如果不驗則疾病安危者何獨取决於兩手三

部及兩足之冲陽太谿也

驗封蛤（鼻封眼蛤該二條）一內之心肝脾肺腎應乎外之耳目口鼻而痘之所恃者血以養之氣以攝之則斯能充貫矣鼻乃肺之竅所納者衛氣痘賴肺氣以始終鼻封則氣不逐於外而氣有所歸矣眼乃肝之竅所納者榮血痘賴肝血以資榮目蛤則氣不馳於外而血有所養矣故痘必欲其封蛤也若痘出陽明與脾則經正而陰陽相輔雖鼻不封而氣自至目不蛤而血自榮倘經於心

肺而痘不封蛤則經心者椒皮鉄葉經肺者吐蚨蓮蒲
其勢則然也三四日而封蛤則易克易靨六七日而封
蛤則難足難痂封而不蛤則陰不足以滋陽蛤而不封
則陽不能以衛陰然封者十之四五蛤者十之七八但
其間又有徵爲鼻封而竅外乾黑者死如封而有涕者
美之徵也目蛤而治眶如塗煤者死若蛤而生淚者吉
之兆也至若如膿之濁流溢無拘者又是毒火内爍津
液外脫之象極悪之候不可以爲吉論也

一痘至灌漿則伏藏之毒與精華皆為逼爍在外所以空竅眼鼻之所津液留聚而為封塞也然必待腫脹貫膿而然為正候也故三四朝不宜封塞者謂毒未外達邪火上炎也若五朝之後又宜封與塞者謂氣血充灌精不外馳也而六七朝即開者須防其毒未清而有内攻之勢則凶危更甚惟痘希少者不在此例

驗出痘五藏見症 該五條

一肺痘之出必肺脹而喘上氣而咳心煩出衄胸滿氣急噴涕喉痺其痘色白形細而

圓皮毛票慄喉中延響其爲疱也白而水肺爲膿泡稠濁色白而大初熱噴嚏若未見點而毛色焦枯不治

一脾痘之出必舌本強腹脹嘔食胃脘疼痛身體皆重善呻善噫洒洒振寒或惡見人心下急痛體難搖動大便溏泄或秘結股膝困腫或舌本痛吐瀉腹脹其爲疱也黃而臭（脾爲疹其色淺黃而次於痲初熱呵欠）其痘色帶黃形大而軟寒熱作若將見點而唇先繭口多穢氣不治

一心痘之出必嗌乾且痛驚怵寺作掌中倍熱目黃耳

聾心痛渴飲頷腫不可以顧肩脇痛頰腫其痘色紅而帶赤形尖而細體若燔炭或上竄咬牙宜導赤散心虛者人参麥門當歸之類煩渴卯盛者葛根湯主之其為泡也尖而紫心為癍而主血其色赤而小次於水泡若將見點而昏熱赤癍者不治

一肝痘之出必口苦呵欠而善太息腰痛不可俛仰心脇痛不可轉側煩悶胸滿小便遺溺又或癃秘頭疼頷痛目銳皆痛其痘色青形尖而圓又於發熱之初多有驚搐等症蓋熱則生風其為泡也白中帶青而多膿兩

頰隱隱難於起發若將見點而目腫神倦者不治
一腎痘之出必饑不欲食舌乾咽腫或咳嗽唾有血腸澼心痛或腰腹脊股俱痛或善恐而心惕惕如懸飢其痘色黑又初熱時便覺腰痛（此毒陷陰分非佳兆也）其為泡也大而紫血若將見點而夾瘢藍紫肉腫口穢（腰疼難立者不治）

驗毒歸五臟見症（該七條）

一歸肺則為咳（為喘為痒為衄為瘡乾燥皴揭為肩臂痛）
一歸脾則為吐瀉腫脹腹痛唇瘡破裂舌（本強手足痛不食）
一歸心則為瘢疹驚惕壯熱咽乾痛渴為（汗為痈瘤癰疽潰爛）

一歸肝則爲悶亂水泡目疾卵腫乾嘔筋急拘攣吐蛇寒戰咬牙

一歸腎則爲腰痛黑陷失音手足厥逆咽乾痛飢不欲食多睡

一歸胃則爲泄瀉痢膿血腸鳴失氣大便不通

一歸膀胱則爲小腹痛滿溺血遺溺小水不通頭項腫痛

驗吉症 該九條

一口唇舌尖紅活無燥白之色者吉

一根窠紅潤圓活地界分明者吉

一心窩額上希少最爲順候者吉　一色潤紅活者吉

一痘頂出來不焦不紫者吉　一飲食常二便調者吉

一脉静身凉手足和煖者吉　一聲音響喨動止安寧者吉

一痘色無黑陷痘頂内暗而黄如蠟色外潤而黄如油色者吉

驗肉症 該三十一條

一痘未出而聲啞喉嗾者不治

一瘯漇壅盛氣急者不治　一痘未壮而先裂破無氣血者不治

一咬牙氣促而泄瀉煩渴者不治

一痘已出或未出而神昏氣促燥亂者不治

一腹痛而瀉膿血如死鷄肝色者不治

一臟肉黎黑如被杖跡者不治

一痘紫黑色而喘渴不寧者不治

一漿水米粒不入口或飲食嗆喉者不治

一眼內黑珠起浮油混睛者不治

一眼中神光不明珠色轉綠轉赤者不治

一閉目昏睡舌捲囊縮者不治　一頭温足冷悶乱飲水者不治

一吐瀉不止藥食不化直下肛門如竹筒者不治

一胃熱發黄身如橘色不利者不治

一痘初出即青晦焦黑者不治

一密如蠶重全不起發平㿉塔者不治

一痘瘡痒塌寒戰咬牙渴不止者不治

一舊有瘡瘍走漏氣血敷藥不效者不治 故曰不怕五心有痘只怕

舊瘡泄漏蓋五心希少飲食如常亦無妨 一痘後傷風傷食肌肉瘦脫者不治

以上諸症雖有危險及痘之稠密但畧有潤澤與起之

意須仗醫之高妙患家心托不惑細心調理 自有可收全功

一五處頭面咽喉胸腹腰背四肢遍身皆密雖窠粒分

明恐氣血不能周給必難盡 灌或既灌而不能收收

而不能脱客強主弱而外盛内虚小舟重載力不能支鮮不覆矣

一頭面預腫鼻塞目閉唇裂聲啞色暗者不治

一灰白色而頂陷腹脹喘渴者不治

一腹脹喘促四肢逆冷者不治

一渾身血泡心腹刺痛癍疔肉硬便血尋衣捏空者不治

一忽於禁處多生鵝子大腫色黑紫發喘者不治

一中風手足拘搐口吐涎沫直視不省色青黑口作鴉声者不治

一痘出後遍身忽腫如瓜氣喘促者死

一面耳目鼻俱黑四肢逆冷項軟忽出大汗者死

一大熱煩燥喘急投藥不退反見面黑者不治

一逆冷如水囊縮吐腥臭氣者不治

先師曰凡沉重痘症投劑而頓効者須防有變蓋服藥不應固爲不治然服劑而頓見驟効者因根本萎盡藥力易於感動也若藥勢一緩或臟腑眞氣不能發生則初服暫得一效繼進便難見功况萬物發得早者萎亦早成得快者敗亦速如盃水易涸易盈長河難消難長

也故凡治療者必漸獲效根深蒂固永保無虞不惟痘家即諸症皆然也惟余臨症屢驗故敢附說于后

驗死症日數 議二條

一痘出標以一日爲始六日九日爲變又十二十四日爲變此决生死之定期也症有寒熱故死有遲速也毒盛而屬寔熱者火勢迅速不過六七日而已蓋痘毒自內達外。三日當齊然毒尚在內者至於六日所當盡發於表若毒盛不能盡出者則至六七日間毒反內攻害傷臟腑而死若顆粒不見者則死期不待六日人小而弱者三日人大而壯者五日而已此毒氣不發泄陰陽二道俱絶故死尤速也若毒少而屬虛寒者此是氣血不足不能灌膿成就故待九日之後變症氣脫而死或延十餘日者有之此皆因痘毒之有虛寔寒熱之有逈殊且人之有大小強弱也

歌云　初出頂陷連肉紅限至九日一場空又如血熱帶紫癍斯症只在六日中發癍黑者在朝夕癍青須刻甚匈刎無膿癢塌期二日不治腰疼及挺胸報痕似沸

如蠶重舌捲囊縮命不克紫泡刺出黑血者飲食嗾喉
症皆𠕒難瘳面腫痘不腫青色黑陷及無膿二便流利
下腸垢更有吐瀉出蛇虫頭温足冷好飲水痘先驚後
桑難攻氣促泄瀉渴不止目無神者數當窮聲啞失音
呼與哭痘色縱好也難終有重氣急固難治痳發貫好
是傷風見此宜服参蘇飲起死回生立奏功
甲卷終
靈山盛院苾芻清羲奉書
桂楊縣知縣裴光瑩助銭十貫

桂楊縣教授官　助戗　五貫

順成府知府武峻同銜助戗二十五貫

安豐縣知縣黎王瓚助戗三十貫

北寧省倉主守黄輝德助十貫

東岸衛生會助二十貫　同文社良医[redacted]助十六貫

諒江隸目吴文楚助十貫　鄧計總該總阮椒助三貫

春會社良医鄧琔男子秀才鄧淑助四十貫

山南總該總阮文習助五貫　慈仁号助五貫